住宅地盤イノベーション

地方の土木会社が挑んだ17年の軌跡

株式会社尾鍋組
代表取締役
尾鍋哲也 著

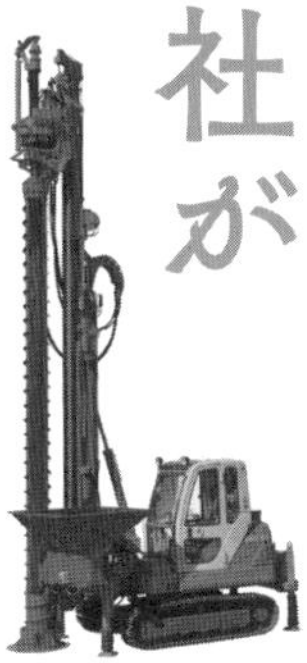

合同フォレスト

はじめに

「このまま、この仕事だけを続けていていいのだろうか?」

２００３年。当時41歳の私は、岐路に立たされていました。

私は父が起業した地方の公共土木工事会社・尾鍋組の2代目です。場所は三重県松阪市飯高町、人口３５００人程度の田舎町です。町にはコンビニはなく、信号は2つしかありません。俗にいう「田舎の土建屋」です。

収益の大半を占めている公共土木工事が年々先細りし、10年先、20年先を見据えると土木事業だけでは明るい展望が開けそうにありません。

そんなとき、「住宅に使える環境負荷の少ない地盤改良工事」の施工代理店を募集する1通のダイレクトメールが届きました。これを機に、私たち尾鍋組は住宅の地盤改良工事を始めることになったのです。

住宅の地盤改良工事とは、家を支える地盤が軟弱な場合に、家が傾かないように地盤を強くする工事です。地域により差はありますが、新築の場合、2軒に1軒程度行われているといわれます。

それまでにも床暖房事業やほかの事業に取り組んだことはありましたが、安定的に収益を上げる事業にまで育てることはできませんでした。事業としては失敗です。

そうした経験があるため、当時社長だった父をはじめ、会社の幹部全員が新規事業への参入には否定的でした。

それでも私は、この地盤改良工事こそ尾鍋組が生き残る道だと信じ、社内の反対を押し切り施工代理店としての参入を決意しました。

3年後、ようやく地盤改良事業が軌道に乗り始めようかという頃、地盤改良の技術を開発した会社が倒産してしまいました。それまでに投資した1億円余りは回収できておらず、このままでは借金だけが残ってしまいます。

悩んだ挙げ句、私は住宅用の地盤改良工法を独自に開発する決断をしたのです。

途中、開発費用が自社の年間売上を超え、何度も「もうダメかもしれない」と思うことがありました。そのとき、何とかしなければとあがいていると、不思議と助けてくれる人と巡り合いました。「こんなことが現実に起きるのか」というドラマのようなこともありました。

そうして「明日もう1日だけ頑張ろう」と思い続けて、今日まで走り続けてきました。

現在、私は58歳になりました。まったくのゼロからスタートし、奇跡的に出会えた人々の協力を得ながら開発した独自の地盤改良技術「エコジオ工法」の施工代理店は、全国に54か所となり、２０２０年9月末日現在、これまで全国で施工した案件は累計で約1万9０００件、3０００社を超える住宅会社、設計事務所に採用していただきました。北海道と沖縄を除けば、ほぼ全国どこへでもエコジオ工法を提供できる体制が整ってきました。やっと今、スタートラインに立ったところです。

本書は、私が新工法の開発を決断するきっかけとなった新工法の社会的な価値、技術開発に取り組んだ思い、安定した品質と経済性を両立するため開発の過程で苦労したこと、そのときにどう考えて行動したのかなど、尾鍋組が地盤改良事業に取り組み始めてから今に至るまでの17年間の出来事を書かせていただきました。

エコジオ工法は、これからの持続可能な社会に必要な技術だと信じて開発しました。

本書を読んでいただいた方に、この取り組みに共感していただければ、また私の経験が少しでもみなさまにお役立ていただければ、これ以上の喜びはありません。

２０２０年10月　株式会社尾鍋組代表取締役　尾鍋　哲也

第3章 不可能への挑戦

第4章

第1号施工代理店と契約

第5章

さらなる試練を乗り越えて

第6章 持続可能な社会を目指して

※本文中、株式会社、社団法人等の表記は省略しています。

第1章

田舎の土建屋が、
住宅の
地盤改良へ参入

本業の公共土木工事の減少

新しい取り組みの話に入っていく前に、まずは私の父が創業した尾鍋組が行っている「公共土木工事」について説明しておきましょう。

現在、建設業許可を持つ業者数は全国で47万社程度です。

建設工事は、おおまかに「建築工事」と「土木工事」に分けられます。

建築工事は、主にビルや住宅、工場などの建物を建てる工事のことで、主な発注者は企業や個人などの民間です。

それと比べて土木工事は、道路や橋、上下水道、堤防や砂防施設などを作る工事のことで、主な発注者は国や県、市町村などの官公庁です。これらの、官公庁から発注される土木工事が公共土木工事です。

尾鍋組もこの公共土木工事を主な収入源としていました。会社があるのは人口3500人程度の過疎の田舎町ですが、ピーク時には公共土木工事の売上だけで年7億円に達したこともあります。

このまま公共土木工事が増加していけば問題はなかったのですが、時流が変わります。第二次世界大戦後の復興期から高度成長、バブル期を通じて公共工事の発注量は増え続けてきましたが、2000年代の初め頃から公共土木工事はなだらかな曲線を描いて減り始めました。

日本国中、どんな山の中にも道路や橋はあります。公共工事は「新しく造る」よりも、維持や補修に力を入れなくてはいけない段階に入ったのです。国の政策転換ですから、致し方ないことです。

「このままでは、尾鍋組の売上も確実に先細りやな……」

毎年の売上の推移はもちろんですが、公共工事の受注量が減っているのはわかっていました。

公共土木工事が急になくなるわけではないが、10年、20年先を考えると……。何とかしなければいけない、しかし、何をすればいいのか？　こんな田舎町で、土木のノウハウを使える民間市場は思いつかない。かといって、建築分野のノウハウはまったくない。

日常の会社の業務をこなしながら、このようなことを考える時間が増えていました。

そんな中「これからの市場が求めることに取り組んでいこう」と、床暖房の販売に乗り出したこともあります。床暖房事業に取り組んだのは、尾鍋組の本社を新築した際に床暖房を入れたら思いのほか快適で、「こんなに快適な設備なら、今後はさらに普及する」と思ったからです。

しかし、実際は思ったほどうまくはいきませんでした。ある程度は売れましたが、土木のノウハウを生かすことはできずに、収益の柱となる事業に育てることはできなかったのです。公共土木工事だけをやってきた会社で、「民間企業」への売り方もわからない、ましてや「建築」のノウハウもなかったのですから無理もありません。

運命を変えた1通のダイレクトメール（DM）が届いたのは、そんな時期のことでした。

1通のダイレクトメール

2003年のある日、突然届いたDMの差出人は新潟県の地盤改良会社「F社」でした。私が41歳のときです。

『事業の構造改革はお済みですか？』

というキャッチコピーが目に飛び込んできました。内容は、市場の縮小が予想される公共土木工事会社を対象とした、住宅に使える新しい地盤改良工法の施工代理店の募集でした。

ここで少し、「住宅の地盤改良工事」について説明します。

住宅の地盤改良工事とは、住宅を建てる土台となる「地盤」が軟弱な場合に、住宅が傾かないように地盤を強くする工事です。

従来行われている住宅の主な地盤改良工事には、大きく分けて3つの工法がありました。「表層改良」「柱状改良」「鋼管」です（表1－1）。

表層改良と柱状改良では、土を固める材料である「セメント系固化材」を使います。表層改良では、現地の土とセメント系固化材を混合して板状に固めたセメント改良土で住宅を支えます。柱状改良では、現地の土とセメント系固化材を混合して柱状に固めたセメント改良土で住宅を支えます。

鋼管は文字通り、鉄の管を地面に打ち込み、その鉄の管で住宅を支えます。

それに比べて、私のもとに届いたDMに書かれていたF社が開発した「A工法」は、セメント系固化材や鋼管杭などの人工的な材料を使わず、砕石（小さく砕いた自然石）だけ

表1－1　地盤改良工事の工法と特徴

イメージ図	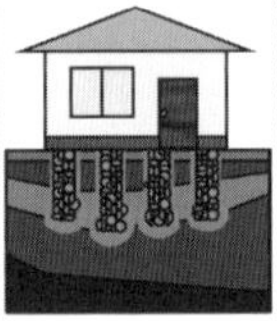	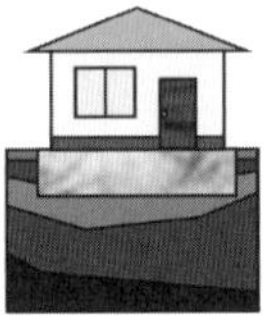		
工法名	A工法	従来の工法		
		表層改良工法	柱状改良工法	鋼管工法
材料	砕石 （小さく砕いた自然石）	セメント系固化材 （現地の土を固めるセメント）		鋼管 （鉄の管）
地中に残るもの	砕石	現地の土とセメント系固化材を混ぜて固めた「セメント改良土」		鋼管

表1－2　地球温暖化　CO_2排出量の比較
素材生産1トン当たりの排出量（kg-CO_2eq/t）

	砕石	**セメント**	**鋼管**
CO_2排出量	7	758	2403

環境省グリーン・バリューチェーンプラットフォーム「排出原単位データベース（ver.2.5）」より抜粋

を使って地面を強くする工法でした（写真1－1、1－2）。

地中に残るものは砕石だけです。従来工法と比べ、地中に固形物を残さず、土壌汚染の心配もありません。さらに、材料を生産するときの二酸化炭素（CO_2）の排出量も他の材料と比べて非常に少なく、地球温暖化の抑制にも貢献できます（表1－2）。

また、セメントや鉄がなかった時代に建てられた歴史的な建物の場合、軟弱な地盤へ建てるときには、石が使われていました。電車の線路の下には世界中で砕石が使われています。また諸外国では、建物を支える地盤が軟弱な場合、砕石を柱状に詰め込んで地盤を強くする地盤改良工法が使われています。

その砕石を使って住宅の地盤を強くするというのです。

しかも、住宅の2軒に1軒は地盤改良工事が行われているとのことでした。

「A工法の主な市場である住宅の地盤改良市場はかなり大

写真1－1
F社が開発したA工法の施工風景

写真1－2
A工法で使用する砕石

きな市場だな。しかも公共土木工事で培った土木のノウハウを有効に生かせる民間市場だ。今後、環境問題はさらに深刻になっていく。A工法は将来、きっと社会から求められるに違いない」

そう考えた私は、先方の社長からA工法について詳しく話を聞くために、F社が本社を構える新潟市へと飛びました。

2003年3月20日。中東で起こったイラク戦争開戦の日でした。そんな情勢下もあって、空港のセキュリティーチェックが普段以上に厳しかったのを今でも覚えています。

地盤改良工事による土地の価値への影響

F社に到着すると、早速、近くの現場でA工法の地盤改良機や施工方法を見せてもらいました。

「こんな技術を開発したのか。F社はすごいな」

現場での見学が終わり、F社の事務所でさらに詳しく話を聞きました。

そこで、私がまったく知らなかった説明を受けました。

地盤改良工事により地中へ作られるものによる土地の価値への影響についてです。

少し専門的な話になりますが、土地の価値、すなわち地価を決める基準となる「不動産鑑定評価基準（国土交通省）」が2002年（平成14年）に改正され（施行は翌2003年）、「土壌汚染」や「地下埋設物（地中に埋まっている物）」が土地の価値へ影響する要因として追加されたというのです（写真1－3）。

すなわち、土地の価値を決めるときには、土壌汚染や地下埋設物を取り除く費用を、土

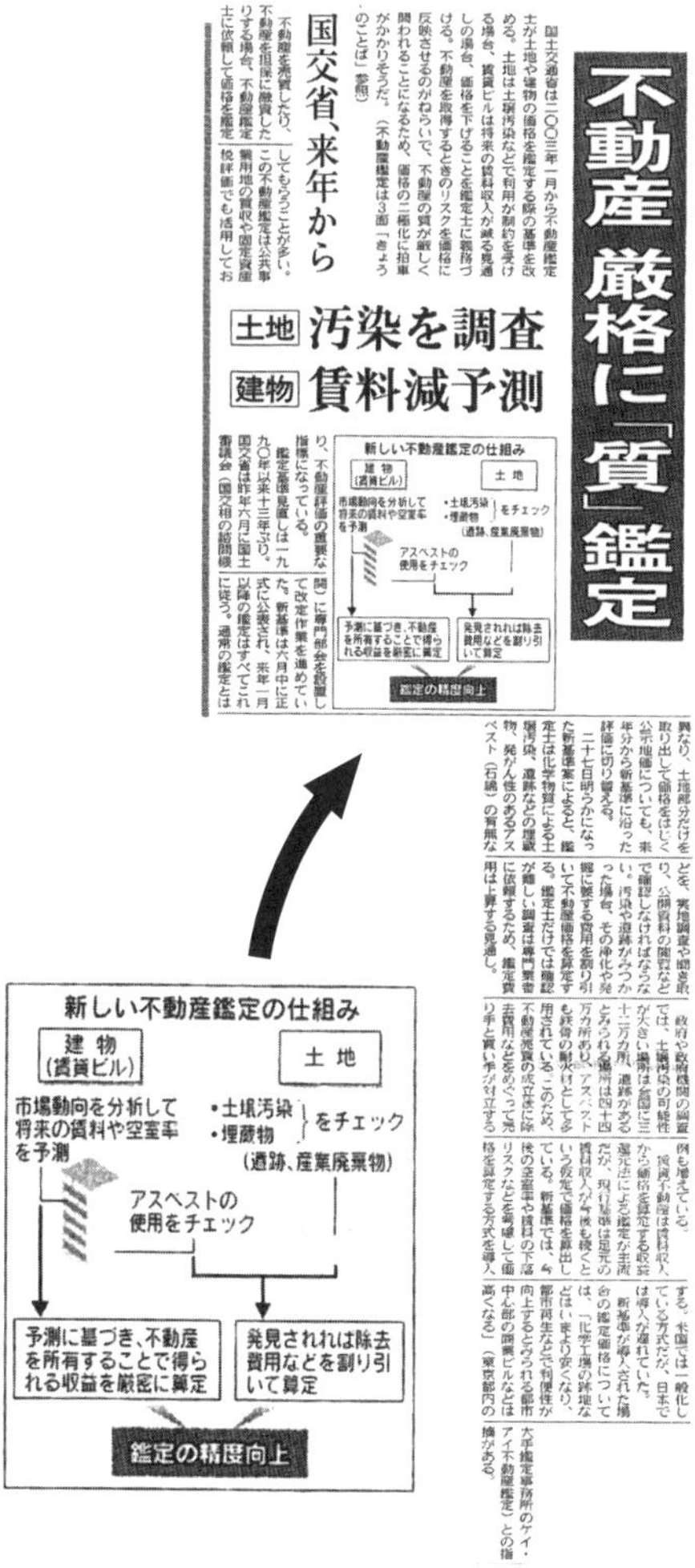

不動産 厳格に「質」鑑定

国交省、来年から

土地 汚染を調査　建物 賃料減予測

国土交通省は二〇〇三年一月から不動産鑑定士が土地や建物の価格を鑑定する際の基準を改める。土地は土壌汚染などで利用が制約を受ける場合、賃貸ビルは将来の賃料収入が減る見通しの場合、価格を下げることを鑑定士に義務づける。不動産を取得するときのリスクを価格に反映させるのがねらいで、不動産の質が厳しく問われることになるため、価格の二極化に拍車がかかりそうだ。（不動産鑑定は3面「きょうのことば」参照）

不動産を売買したり、不動産を担保に融資したりする場合、不動産鑑定士に依頼して価格を鑑定してもらうことが多い。この不動産鑑定は公共事業用地の買収や固定資産税評価でも活用しており、不動産評価の重要な指標になっている。

鑑定基準見直しは一九九〇年以来十二年ぶり。国交省は昨年六月に国土審議会（国交相の諮問機関）に専門部会を設置して改定作業を進めていた。新基準は六月中に正式に公表され、来年一月以降の鑑定はすべてこれに従う。通常の鑑定とは異なり、土地部分だけを取り出して価格をはじく公示地価についても、来年分から新基準に沿った評価に切り替える。

二十七日明らかになった新基準案によると、鑑定士は化学物質による土壌汚染、遺跡などの埋蔵物、発がん性のあるアスベスト（石綿）の有無などを、実地調査や聞き取り、公開資料の閲覧などで確認しなければならない。汚染や遺跡がみつかった場合、その浄化や発掘に要する費用を割り引いて不動産価格を算定する。鑑定士だけでは確認が難しい調査は専門業者に依頼するため、鑑定費用は上昇する見通し。

政府や政府機関の調査では、土壌汚染の可能性が大きい場所は全国に三十二万カ所、遺跡があるとみられる場所は四十四万カ所あり、アスベストも鉄骨の耐火材として多用されている。このため、不動産売買の成立後に除去費用などをめぐって売り手と買い手が対立する例も増えている。

賃貸不動産は賃料収入から価格を算定する収益還元法による鑑定が主流だが、現行基準は足元の賃料収入が今後も続くという仮定で価格を算出している。新基準では、今後の空室率や賃料の下落リスクなどを考慮して価格を算定する方式を導入する。米国では一般化している方式だが、日本では導入が遅れていた。

新基準が導入された場合の鑑定価格については、「化学工場の跡地などはいまより安くなり、都市再生などで利便性が向上するとみられる都市中心部の商業ビルなどは高くなる」（東京都内の大手鑑定事務所のケイ・アイ不動産鑑定）との指摘がある。

写真1－3
「日本経済新聞」（2002年5月28日）

地の価格から差し引くということでした。

従来行われていた地盤改良工事では地中にセメント系固化材で固めた土や、鉄の管が残ります。また、セメント系固化材を使う地盤改良工事では、地中で六価クロムが安全基準を超える可能性があります。このことは、土木工事でも道路を作る地盤が軟弱なときにはセメント系固化材を使うため知っていました。

その点、砕石しか使わないA工法では、地中に残るのは砕石だけです。土壌汚染の心配もありません。そのため従来工法と比べ、土地の価値を下落させる可能性が低いというのです。ただ、A工法へ取り組むには初期の投資だけでも5000万円程度必要でした。

「A工法は環境にもやさしい。しかも、土地の価値を守ることもできるのか。すごい地盤改良技術だ。これからの世の中に絶対に必要な技術だ。これは今後増えていくに違いない」

F社を出て新潟から帰る頃には、すでに心の中で取り組むことを決めていました。

社内の反対を押し切り、A工法の施工代理店に

会社に戻るとすぐに、当時の社長であった父をはじめ、幹部社員を集めて会議を開き、A

工法の施工代理店へ加盟し地盤改良事業を始めることを提案しました。

「これはいける。これなら、土木のノウハウを活用できるし、環境の保全や土地の価値の保全にも貢献できる。尾鍋組が取り組むには最適の新事業だ」

そう意気込んだのですが、返ってきた反応は満場一致の〝大反対〟。

「知り合いでほかに誰もやっていない新しいことをしても、うまくいくはずがない」

「規模の大きい公共土木工事をやってきた土木会社が住宅の地盤改良事業なんて……」

「そもそも、誰がどうやって売るんだ？」

そんな声が周囲から噴出したのです。

しかし、A工法は会社の将来のために必死で探して、やっと見つけた事業です。「これしかない」と思い込んでいますから、諦めるつもりなど毛頭ありませんでした。

これから減少していくことが確実な公共土木事業で尾鍋組が生き残る道を探すか。それとも、誰もやったことがない新たな分野へ挑戦するか。

「戦後の高度成長期が転換期を迎え、これから時代は大きく変化していくはずだ。何か新しいことを始めればリスクがある。しかし、何もしないこともまた大きなリスクだ。いくら反対されても、自分一人でもこれをやる！」

社長、社員の反対を押し切って、私は「地盤改良事業部」を社内で立ち上げました。「一人でもやる」と言ったものの、自分一人では、事業を進めることができません。そこで、当時の社長に、土木部のメンバー一人をアシスタント役に回してもらいました。私の右腕として当社の地盤改良事業部を今も牽引《けんいん》している、地盤改良事業部エコジオ本部本部長の濱口です。

濱口は、口数は多いほうではなく、社内ではあまり目立ったタイプではありませんでしたが、物事を深く考える性格で、じっくり自分の中で熟考したあとで「私はこう思う」と言うのです。そして、その意見や見方が大変的確でした。その意見は重みを持っていて、周囲からは一目置かれる存在でした。

あとでこの頃の話を聞いたところ、濱口も相当戸惑ったそうです。

「いきなり地盤改良事業部に行けと言われて……」

地盤改良は公共土木とまったく関係ないわけではありませんが、これまで扱ったことのない未知のものを、いきなり「やれ」と言われたわけですから、戸惑いも当たり前でしょう。

見切り発車もいいところ。「やると決めたから、とにかくやる」という強引極まりないスタートを切ったのです。

A工法が思ったように売れない

「いいものなら、自然に売れるはずだ」

これは技術分野の人間が陥りやすい錯覚です。

技術職の人間は「技術が優れていれば売れていく」と考えがちですが、実際にモノが売れるのは技術がいいからという理由だけではありません。世の中のニーズに合っているから売れていくのです。実際、技術的に素晴らしくても売れないものもあれば、技術的にそれほど優れていなくても売れるものも存在します。

今でこそわかりますが、当時の私もこの錯覚に見事に陥っていました。

尾鍋組は2003年6月9日、F社とA工法に関する施工代理店契約を締結し、A工法専用の地盤改良機も購入しました。

A工法は主に住宅の地盤改良分野で使う技術ですから、尾鍋組はF社の施工代理店として住宅会社や建築設計事務所を相手に「住宅の地盤改良でA工法を使いませんか?」と営業していくわけです。

発注してくれた会社の住宅建築現場でA工法を施工。その売上の一部からロイヤリティーをF社に支払うという仕組みでした。

住宅建築は民間の市場、お客さまは主に住宅会社です。これまで尾鍋組が扱ってきた「官公庁が発注する公共土木事業」とは違います。しかし、尾鍋組の本業である土木の知識や技術が生かせる市場です。

「住宅の地盤改良でうまく軌道に乗せることができれば、三重県一円くらいまでは商圏を広げられるだろう」

当初は、その程度に軽く考えていました。

F社と契約後、A工法の設計、施工などの研修を受けた後、まず住宅会社に向けての営業活動を行いました。地元の住宅会社や設計事務所を回り、片端からA工法の特長や環境負荷が少ないこと、土地の価値への影響が少ないことを説明していきました。知り合いの会社はもちろんのこと、知らない会社にも飛び込み営業をしました。

ところが、現実は甘くありませんでした。住宅会社からは、「砕石だけで大丈夫なの？環境にはいいようだけど……」と言われ、初めて訪問した住宅会社では、名刺を投げ返されたこともありました。A工法はそう簡単には売れなかったのです。

公共土木工事を手がけてきた尾鍋組にとって、技術的な分野ではノウハウを活用することができましたが、それだけではA工法を売るには不十分だったのです。

事業に取り組んでから気づいたことですが、そもそもA工法には、収益を確保する意味での大きな課題がありました。

施工のコストです。A工法は施工の手間、日数がかかりすぎました。当時、住宅の地盤改良を行うと、従来の地盤改良工事では1~2日程度で仕上げられるのに対して、A工法は約3~5日もかかってしまうため、販売価格が従来工法の2倍かそれ以上になってしまいました。このため、環境に良くて土地の価値への影響が少なくても売り難かったのです。ましてや、営業スタッフは公共土木事業しか経験のない私と濱口のコンビです。なかなか売上に結びつかない日々が続きました。

マーケティングセミナーでの出会い

「尾鍋組にとっては、最適の新事業だ」

そう大見得を切って「反対されてもやる」と言い切ったA工法が思い通りに売れない中、

私は常に「どうにか売る方法はないのか、これだけ社会的価値の高い商品なのだから」と、寝ているとき以外は考え続けていました。

そんなある日、三重大学でマーケティングセミナーが開催される、という情報を得ました。

「三重大学がこんなこともするのか。何か新しい情報が得られるかもしれない」と思い、そのセミナーに参加しました。

2004年9月6日。母校の三重大学へ来るのは卒業以来20年ぶりのことで、すれ違う学生たちを見て、飲食店でアルバイトをしながら気楽に過ごしていた学生時代が懐かしく思い出されました。当時あまり勉強していなかった自分が、まさかビジネスで三重大学を再訪することになるとは夢にも思っていませんでした。

そしてセミナーの場で、事務局長を務めていた三重大学のK教授と出会ったのです。

セミナーが終わったあと、K教授と名刺交換し少し話しました。K教授の専攻は社会学ですがマーケティング調査も行い、ビジネスモデルの研究にも携わっていました。

そこでA工法の話をすると、「今度、一度お話を聞きましょう」ということになり、後日、三重大学のK教授の研究室を訪ねました。

そこで、A工法に取り組んだきっかけ、環境や土地の価値の保全などの社会的価値、そして、思い通りに売れない現状などを話しました。するとK教授は、「砕石の地盤改良工事」による環境保全や土地の価値の保全などの社会的価値に興味を持っていただきました。そして、2005年1月から「マーケティングに関する共同研究」を始めることになったのです。

とはいえ、K教授は人文学部の先生です。土木の技術には詳しくありませんでした。ただ「世の中に必要とされるもの、社会的な価値のあるものは広めていかなくてはいけない」ということで、共同研究に取り組んでくれたのです。

K教授の言葉で印象に残っているのは「どれほどいいものでも、せめて従来工法と同程度の価格で販売できるようにすることが必要」というものです。「そのためには、施工原価を低く抑えること、そして施工代理店が適正な利益を確保できること」が大事だとおっしゃっていました。この考え方も、後年、エコジオ工法の開発に当たって大事にした考え方のひとつでした。

「絶対に無理だ」と言われた、国内初のビジネスモデル

「何とか、従来工法より価格が高くなるという課題を解決できる方法はないだろうか」

毎日そう考える中、ひとつのアイデアが浮かびました。

住宅を新築する際に多くの消費者は銀行の住宅ローンを使います。その住宅ローンを貸し付ける際、金融機関にとって土地は大切な担保です。地盤改良工事が必要なときにA工法を使えば、金融機関にとっては担保である土地の価値が下がるリスクを軽減できます。しかも、金融機関は環境負荷の低減という社会貢献もできる。

その頃はやっていた「オール電化」や「オールガス」の住宅ローン金利優遇のように、A工法を使えば住宅ローンの金利優遇を受けられる仕組みができるのでは？　そして、これは消費者にとっても、土地を担保に住宅新築の資金を融資する銀行にとってもメリットが大きい――そう考えたのです。

アイデアはできましたが、どの機関とどういう形で実行するか。

そこで浮上してきたのが三重県下でトップの金融機関「百五銀行」と提携し、金利優遇を取り付ければ、A工法の販売促進に追い風となるに違いない、という話です。

私はこのアイデアを早速、K教授にぶつけてみることにしました。

「それは無理でしょう。だいたい百五銀行は尾鍋組を相手にしないと思いますよ」

「やはりそうですかね」

常識で考えれば、そう言われることはわかっていました。

当時、住宅ローンの金利優遇が行われていたのは「オール電化」か「オールガス」であり、銀行が提携しているのは電力会社やガス会社などの巨大企業でした。片や尾鍋組は社員数20人程度の田舎の土建屋。同じ民間企業とはいえ、規模が違いすぎます。

「常識的に考えて、それは無理でしょう」

尾鍋組社内でも私が考えたビジネスプランは相手にされませんでした。

「常識か……。しかし現状は、常識では解決する方法が思いつかない」

しかし、そこで諦めてしまえば、このビジネスプランは実現しません。

「このままでは、せっかく考えたアイデアもムダになる。ダメでもともとだ。百五銀行へ提案してみよう」

そこで私は、百五銀行と尾鍋組に加え、K教授が理事長を務めるNPO法人、さらに地盤調査会社、地盤保証会社など5社が連携するビジネスモデルを考え、それを百五銀行に提案しました。すると意外な返事が。

「尾鍋さんの提案内容はわかりました。一度、銀行内で検討します」

その後、何回かのやりとりがありました。

「箸にも棒にもかからないなら、もっと早く連絡が来るのでは……」。提案書を出してから約2か月後、私の携帯電話へ「頭取からOKが出た」という連絡が入りました。

「よし！　無理だと言われたけど、できたじゃないか！」

私はすぐに、K教授に電話しました。

すると、K教授は「えっ、そうなんですか。すごいことになりましたね」

私は、「これで、知名度も一気に上げることができる」と思い、将来に期待が広がりました。

尾鍋組は2005年5月31日、百五銀行、NPO法人と住宅ローンの金利優遇に関する契約を締結。商品名は「百五A工法優遇ローン」でした。全期間にわたって年0・50％を優遇。地盤改良工事での住宅ローン金利優遇は、国内では初の事例となりました。

公共工事の指名停止と社長就任

国内初のビジネスモデルを構築した2005年は、私と尾鍋組にとって大きな節目となりました。

2005年5月、A工法による住宅ローン金利優遇に関する契約も無事締結し、今から大々的にPRしていこうと思っていたときです。思いもかけないことから、急逝《きゅうきょ》、私が社長に就任することになったのです。

尾鍋組が参加した公共工事の入札での談合が発覚し、住宅ローン金利優遇の契約締結から約3か月後の2005年8月に、尾鍋組は指名停止処分になってしまいました。指名停止になると、公共土木工事の営業活動が止まります。当然、入札には参加できず、公共工事を受注することはできません。

またこの頃は、公共土木工事の談合が社会問題になっていたこともあり、たとえ公共土木工事とは別の事業とはいえ、公共工事で指名停止の尾鍋組がA工法の住宅ローンの金利優遇を大々的にPRすることもできなくなってしまいました。

公共土木工事の受注活動もA工法の営業活動も一時的に停止。結局、これを機に父は一線を退いて会長職となり、私が社長に就任することになったのです。まさか、こんなことで社長になるとは夢にも思っていませんでした。私が43歳のときです。

少し私の経歴を紹介しておくと、私は三重大学農学部農業土木学コースを卒業後、三重県内で大手の総合建設会社に入社。その会社では、社内で最も厳しいと噂される現場所長の元へ配属され、しかも現場事務所への泊まり込みでした。朝は現場事務所の掃除から始まり、昼は現場監督として、土木工事の現場で測量などの現場管理、夜は工事の書類整理。このような日々が続き、書類整理をしている途中に机で寝てしまった夜もありました。今では考えられない労働環境でしたが、今にして思えば、そのときの経験はその後の人生で大いに役に立ったと思います。そして4年ほど勤めたあと、父が社長として経営していた尾鍋組に入社しました。

私が尾鍋組に入社した1990年代半ば当時、公共土木の業界にはまだそれなりに仕事はありました。私も現場監督として30代半ばまで、さまざまな土木工事の現場を経験しました。

また、40歳になるまでの私は建設業協会の青年部をはじめ、青年会議所や商工会など各種団体に所属し、全国各地へ出向き、イベントの企画や各種の講演会などへも参加していました。父が社長をしていたこともあり、親のスネをかじって自由に活動している「田舎の土建屋の2世」でした。

しかしその活動へ参加すると、同じ30代でも自分で会社を立ち上げ、代表者として経営しながら、公的な活動もしている人と触れ合う機会も多くありました。「世の中には、同じ年代でもすごい人たちがいるなぁ」と感じることも度々ありました。

講演会では地球環境に関する課題についても、いろいろな情報を得ることができました。そんなとき、ふと思うことがありました。

「今、自分自身が行っている事業は、本当に世の中のためになっているのだろうか？　もっとやるべきことがあるのでは？　自分の子どもたちが大人になるときに、環境問題はもっと深刻になっているに違いない。できれば自分も環境保全に貢献することはできないだろうか？」

A工法への取り組みを始めたのも、そんな思いからでした。

「今後、世の中は環境負荷の少ない商品や工法が必ず普及していく」

そう思っていました。5000万円もの投資をしてA工法へ取り組んだのはそのためです。

A工法の開発会社が倒産

2005年は、会社では指名停止という不運な出来事が多い年になりましたが、国内初のビジネスモデル、A工法の住宅ローンの金利優遇は、経済産業省がその年から開始した中小企業支援策「新連携支援事業」として中部地区で初めて採択されました。

また、この取り組みは日本経済新聞をはじめ、各種の新聞にも記事として大きく掲載されるとともに、三重テレビ開局記念特別番組の題材となり、2005年12月、30分間のドキュメント番組『侍のマナザシ「地中に眠るビジネスチャンス」』として放送されました。

私のところへは、それらの新聞やテレビを見た公的機関や他の金融機関、各種団体などから「日本で初めての新しい連携事業」に取り組む中小企業として、講演依頼も数多く寄せられ、三重県内はもとより全国各地で講演しました。

指名停止を受けての社長就任という波乱はありましたが、百五銀行での住宅ローン金利優遇が決まったことで社会から注目を浴びたこともあり、A工法の受注は、少しずつですが増加傾向にありました。

さらに2006年に入ってからは、大手のハウスメーカーから「A工法の採用を検討しよう」ということで、具体的な協議が始まっていました。

「長い時間がかかったけど、ようやくこれでA工法の事業も軌道に乗せることができそうだ」

ようやく明るい兆しが見えてきました。こうなると、社内外から「すごいビジネスモデルを作ったな」という声が聞こえるようになってきました。

「さぁ、今から挽回するぞ！」

ところがA工法をめぐる出来事は、これから私と尾鍋組に降り注ぐさまざまな試練の始まりにすぎませんでした。

私と濱口が気合いを入れ直し、大手ハウスメーカーと採用に関する協議を本格的に始めようとしていた頃、2006年3月31日。A工法の開発会社であるF社から〝ある知らせ〟が舞い込んできたのです。

『F社は、会社継続が不能となり破産申立を完了しました』

F社が開発したA工法に取り組んでから約3年。私が44歳のときのことでした。

第2章

出会いと決断

出口の見えないトンネル

私はF社が倒産したことをFAXで知りました。

「何っ！　まさか、こんなことになるとは……。銀行との連携による住宅ローンの金利優遇のPRで知名度も徐々に上がってきた。さらに大手ハウスメーカーも採用の検討を始めたこのタイミングでF社が倒産するとは。いったいこの先どうすればいいんだ……。銀行やハウスメーカーにどう説明すれば……」

すぐにF社の社長に電話をしましたが、つながりません。

会長（父）に報告すると、「そらみろ。そんなもん、絶対にうまくいくわけがないんや！」と叱責されました。「自分一人でもやる！」と大見得を切った事業ですから、反論の余地もありません。

その後、F社からは倒産に伴う私たち施工代理店への説明会が開かれ、新潟県にも何度か足を運ぶことになりました。

F社の施工代理店同士で協議することもあり、ほとんどの施工代理店の社長とも知り合いになり、そのときに同じ施工代理店だった川又社長（後にエコジオ工法施工代理店第1

号の社長）とも知り合いました。

倒産のＦＡＸが届いたとき、Ａ工法の施工代理店は30社ほどありましたが、Ａ工法の施工代理店として収益を上げるほど販売している会社はほとんどありませんでした。そのため、Ｆ社にはロイヤリティーが入りません。結果、Ｆ社は事業を続けることができなくなってしまったのだと思います。

Ａ工法の開発会社が倒産したことは、採用を検討していた大手ハウスメーカーへも伝えました。

「今、採用をご検討いただいているＡ工法の開発会社であるＦ社が倒産しました」

「えっ、本当ですか？　これから、Ａ工法はどうなるんですか？」

「いやぁ……」

このようなやりとりで、大手ハウスメーカーでの採用の話は、直前であっけなく白紙に戻りました。

Ａ工法はＦ社の特許技術が使われています。また、Ａ工法を施工するための地盤改良機もＦ社が販売しています。そのためＦ社が倒産するということは、その地盤改良機のメンテナンスもこれまで通りには行うことができないことになります。

ただ、F社が倒産したからといって、尾鍋組としては途方に暮れている暇はありません。A工法の地盤改良機は自社で保有していたので、A工法の販売と施工はその後も続けていました。

A工法の施工を続けながらも、私は考え続けていました。

「F社が倒産した状態で、A工法をこの先何年も続けることはできないだろう。しかし、どうすればいいのか……。砕石だけで施工ができる地盤改良工法の社会的な価値を考えると、これからの時代に必ず求められる技術に違いない。従来工法よりも高額であっても、その価値を評価していただき、購入してくれたお客さまもいるのだから。

A工法が市場に受け入れられるには、根本的に解決しなければならない課題がいくつかある。これらを解決しなければ、市場で広く普及することは難しいだろう。F社が倒産した今となっては、自社で独自の地盤改良工法を開発するしか方法はないのではないか。ただ、地盤改良の装置を作る会社なんてまったく知らない。少なくとも、三重県内では聞いたこともない。

この先どうすればいいのか……。A工法への投資は日の目を見ずに終わるのか。このままでは、A工法への投資による借り入れだけが残り、今後、確実に減少していく公共土木工事で返済していくことになる。このままでは終わりたくないが……」

Ａ工法への投資額は、初期の設備投資やその後の人件費、広告宣伝費などで1億円程度に達していました。

Ｆ社の倒産後、考えれば考えるほど解決できない問題が浮上し、毎日、出口の見えないトンネルの中を歩いているようでした。

この頃、普段は本を読まないというより、読書が苦手な私が、なぜか『竜馬がゆく（司馬遼太郎著、文春文庫、全8巻）』を読んでいました。

Ａ工法の課題

Ａ工法の施工方法を簡単に説明すると、地面に円柱状に穴を掘り、その穴へ砕石を詰め込む工法です（図2－1）。

ただ、そのＡ工法には、大きく3つの課題がありました。

1つ目は、従来工法と比べ施工にかかる費用が高すぎること。

2つ目は、品質を確保するために熟練の技術が必要であること。

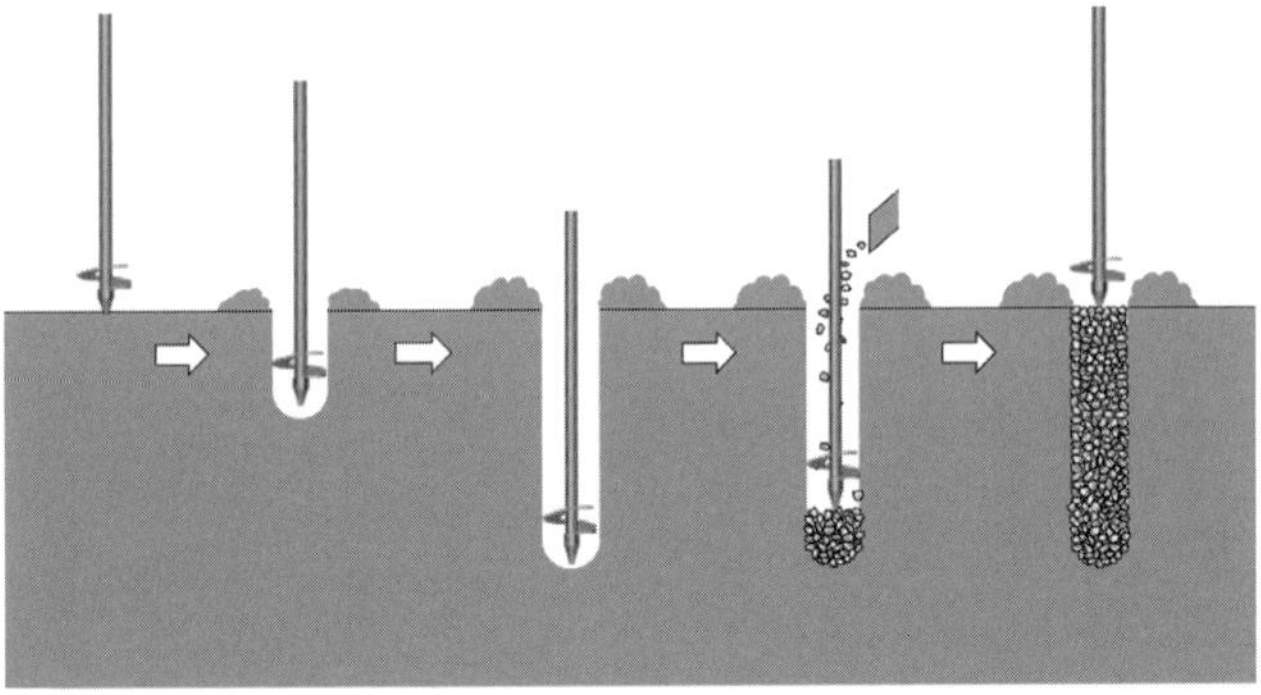

穴が崩れない地盤の場合、設計通り施工できる

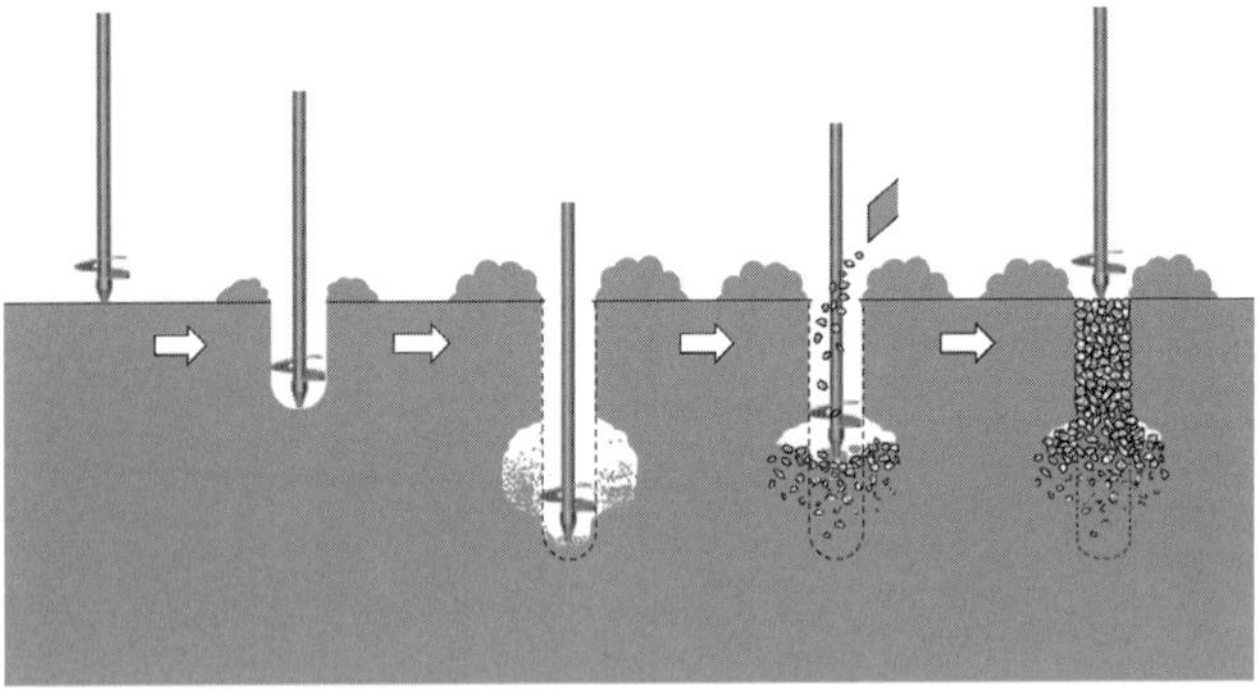

穴が崩れる地盤の場合、設計通り施工できない

図2−1　A工法の課題

そして3つ目は、施工の記録を見ても品質が判断しにくく、その気になれば記録の改ざんができることでした。

1つ目の課題「施工の費用」については、地盤改良機がA工法専用で高額でした。また、施工の手間が多く時間がかかりすぎたのです。そのため、施工用の装置のコストを下げることと、施工時間を短縮することが必要でした。

2つ目の課題「品質」については、砕石の地盤改良では地面に円柱状に穴を掘り、そこへ砕石を詰め込むのですが、A工法では掘った穴が崩れる可能性がありました。また、砕石を均一に詰め込むために熟練の技術が必要でした。その穴の崩壊を確実に防ぐことと、砕石を均一に詰め込むことが、熟練工でなくても行えることが必要でした。

3つ目の課題「施工記録」については、A工法では、施工記録を見ても品質がわかりにくく改ざんも可能なため、施工者のモラルに頼る部分がありました。その対策として、施工記録が明瞭で、改ざんができない仕組みが必要でした。

A工法の3つの課題を表にまとめると、表2−1のようになります。

このようにA工法はあまりにも課題が多すぎて、単に改良するだけでは、とてもこの課

	A工法の課題
①施工の費用	高額なA工法専用の地盤改良機が必要
	施工にかかる日数が多い(3〜5日程度)
②品質	掘削した穴が崩れる可能性
	砕石を均一に詰め込むため熟練が必要
③施工の記録	品質がわかりにくい
	改ざんができる

表2−1　A工法の課題

題を解決することはできないことがわかりました。

しかしその当時、私の知り合いの中には地盤改良の装置を作る人はいませんでしたし、当然ですが、社内にもそのような人脈は誰も持っていませんでした。

地盤改良装置の製作会社社長との出会い

2007年3月、F社の倒産から約1年が過ぎようとしていました。

頭の中では砕石の地盤改良のことを考えながら、本業の公共土木工事とA工法の営業活動で日々忙しく過ごしていたある日のこと、知り合いから「新しい地盤改良工法の施工見学会に行きませんか？」との連絡を受けました。

「会社に閉じこもっていても新しいことは生まれない。何かのきっかけになるかもしれないな」

私は、A工法の施工代理店だったI専務と、新しい地盤改良工法を見に行くことにしました。

視察当日、会社から車で1時間半ほどかけて待ち合わせ場所へ行くと、I専務が車で待っていました。

「尾鍋さん、私の車へ乗ってください」

「じゃあ、よろしくお願いします」

私は助手席へ乗り込みました。すると、その車にもう一人、私よりも10歳ほど年配と思われる方が後部座席に座っていました。そこで、I専務から紹介されました。

「尾鍋さん、この方も今日、一緒に行きますのでよろしく。三重県四日市市のシンエイテックの森社長です。今から見に行く新しい地盤改良工法の装置を作った人です」

「こちらこそ、よろしくお願いします」

まさか……、三重県内に地盤改良の装置を作れる会社があるのか？


施工見学会の会場までは三重県から車で6時間くらいかかり、会場へ到着するまでの間、車内では地盤改良や仕事の話、遊びの話などで盛り上がりました。

シンエイテックは三重県四日市市にある、地盤改良の装置を約40年にわたって作り続けている老舗の会社です。その会社の代表である森社長は、地盤改良業界内では知る人ぞ知る存在でした。業界内で当たり前に世に出ている技術の中にも、実は森社長が考案したものがあります。

いろいろなアイデアを持っていて、お客さまが困っていれば「何とか解決してやろう」

と闘志を燃やすタイプの人で、海外から視察団が訪れたこともあるほど業界では有名だったのです。

そして、施工見学会から帰ってきて別れる頃には、私たち3人はずっと以前から知り合いだったような感じになっていました。

I専務、森社長と別れたあと、私は自分の車で帰り道を運転しながら思いました。

「こんなタイミングで地盤改良の装置を作れる会社の社長に出会うなんて……。

森社長なら、A工法に替わる新しい地盤改良の装置を作ってくれるかもしれない。ただ、自社で開発するなら尾鍋組がF社の立場になり、全国の施工代理店に施工してもらう方式でないと開発費用を回収することはできないだろう。

田舎の土建屋にそんなことが本当にできるのだろうか？　そもそも、建設機械を使って工事をするのは得意分野だが、その機械を作ったことはない。新しい機械を作ろうとすれば、どれだけの費用がかかるのだろう。その費用はどのように調達すればいいのだろうか。しかし、何もしなければA工法の借り入れだけが残る」

森社長との出会いのあと、私はA工法に替わる新しい装置の製作について具体的に考え始めました。

新工法の開発へ、手探りのスタート

開発する場合に、どうしても解決しなければいけない重要な課題を考えました。

そこで最も重要な課題は、品質に影響が大きい「掘削している穴が崩れる可能性」があること、次は「地盤改良機がA工法専用で高額」ということでした。

まず、何も対策をせずに穴を掘ると、穴が崩れることがあります。穴が崩れると周囲の地盤も弱くなり、設計通りの深さまで砕石を入れることができなくなります。地盤を強くするための工事なのに、穴が崩れると地盤を弱くしてしまう可能性があるのです。

A工法では、泥水を使う特殊な方法で穴の崩壊を防いでいましたが、確実に防ぐには熟練が必要であり誰もができる方法ではなかったのです。

大型のビルなどでは、液状化対策として砕石を地中に円柱状に詰め込む工法が以前から行われています。その場合は、大きな地盤改良機（総重量100トン程度）を使うのですが、掘削した穴が崩壊しないように「ケーシング」という鉄の筒が使われています。

そこで、新工法を開発するなら穴の崩壊を確実に防ぐことが最も重要だと考え、A工法では使われていなかった「ケーシング」を使おうと考えたのです（図2－2）。

次に、A工法では地盤改良機がA工法の専用であり、しかもそれが高額でした（写真2－1）。それを解決するために、「小型地盤改良機（総重量10トン程度）」を用いることを考

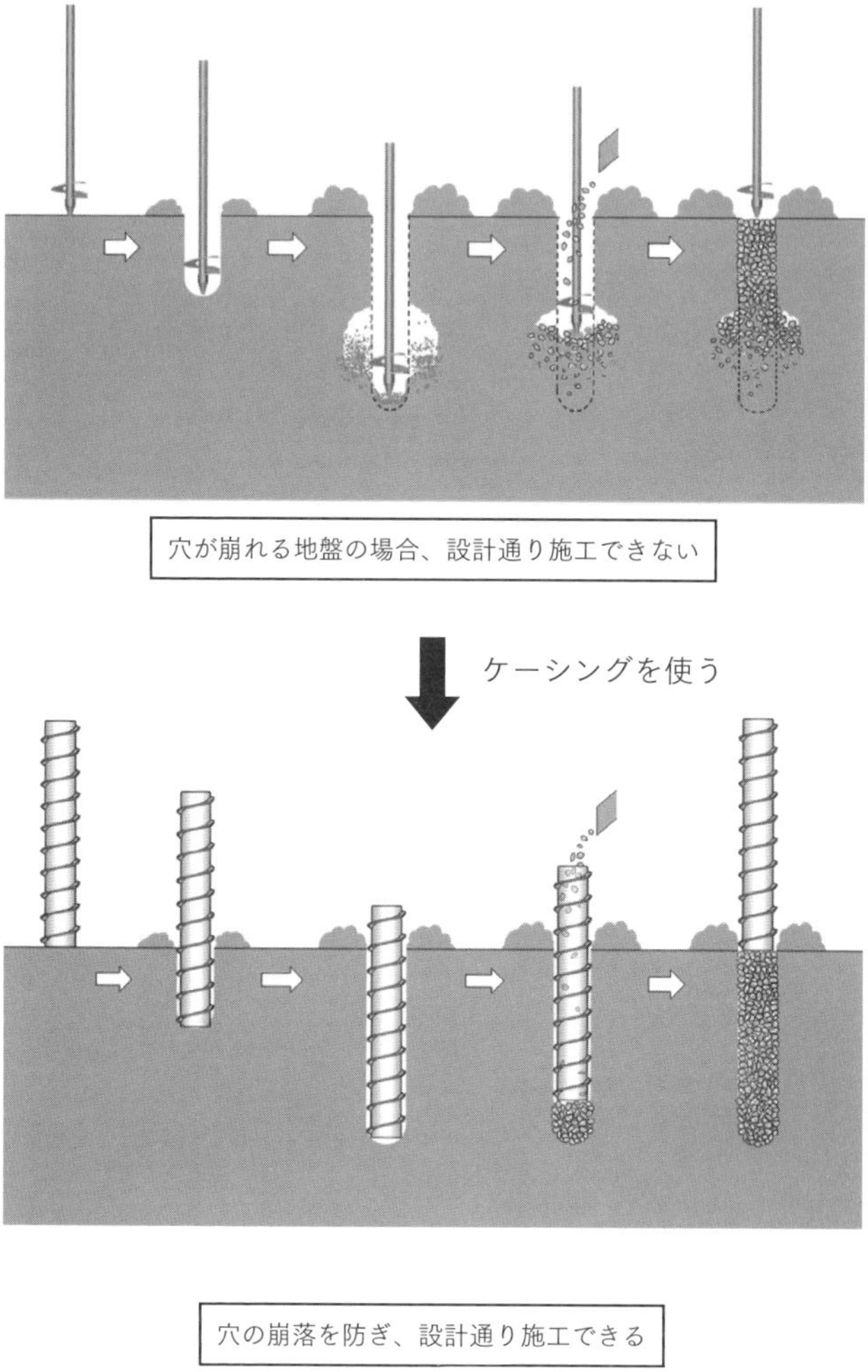
穴が崩れる地盤の場合、設計通り施工できない
ケーシングを使う
穴の崩落を防ぎ、設計通り施工できる

図2－2 穴の崩壊を防ぐケーシング

写真2－1　A工法専用の地盤改良機。

写真2－2
住宅の地盤改良市場へ普及している小型地盤改良機(柱状改良、鋼管用)にケーシングを取り付ける。

えました。小型地盤改良機は、従来住宅の地盤改良工事において柱状改良や鋼管などの施工で使われており、市場に普及していたからです。

つまり、小型地盤改良機へ取り付けることが可能な「ケーシング方式のアタッチメント」を開発するのです。そうすれば、普及している小型地盤改良機を持っている住宅の地盤改良工事を行う業者が新工法へ取り組む場合、初期投資はアタッチメントだけになり、コストを低く抑えることができる――そう考えたのです（写真2－2）。

私は、シンエイテックの本社へ出向き、新しい地盤改良の装置を考えていることを森社長に話しました。

「A工法に替わる砕石を使う地盤改良の新たな工法を開発したいと思っています。新工法では、一般に普及している小型地盤改良機へ取り付けるケーシング方式のアタッチメントにしたいと考えています。そのアタッチメントを作ってもらうことはできますか？」

「いいですよ。私はお客さんが希望すれば、どんなものでも作りますよ」

森社長は、自信を持って答えてくれました。この道40年のベテラン社長の余裕が感じられる返事に、大きな安心感を覚えました。

続けて、新工法の必須条件と考えている、小型地盤改良機へケーシングを取り付けて穴を掘りたいことを説明しました。

「小型地盤改良機へ、直径40センチくらいのケーシングを取り付けて穴が掘れますか？」

「それは、やってみないとわからないな」

「どうしてわからないのですか？」

「40年間、地盤改良の装置を作ってきたけど、その要望は初めてですね」

そうか、この森社長が頼まれたことがないのか……。でも、これだけはどうしても確認することが必要だ。ケーシングを使えなければ、穴の崩壊を防ぐことはできない。

「誰か、このことを知っている人はいるでしょうか？」

「地盤改良機を作っているメーカーなら、知っているかもしれないですね」

そう言われても、その頃の私は、地盤改良機を作っているメーカーには知り合いもいません。どこに問い合わせをすればいいか、見当もつきませんでした。

「小型地盤改良機を作っているメーカーを紹介してもらうことはできますか？」

「いいですよ、日本車輛を紹介しましょう。国内最大の地盤改良機メーカーです。大型から住宅用まで各種の地盤改良機、大型クレーン、新幹線も作っている会社です」

さすがに、それほどの大企業なら知っているだろう。私は早速、日本車輛の担当者に問い合わせました。

「従来の小型地盤改良機へ直径40センチのケーシングを取り付けて穴を掘ることはできますか？」

「それは……わかりません」

「えっ？　なぜですか？」

「従来工法ではセメント系固化材や鋼管を使いますが、そんなに太いケーシングは使いません。そんなことはこれまで聞かれたこともないし、やろうとした人はいないいんじゃないでしょうか？」

「……そうですか。どうもありがとうございました」

日本車輌がわからないということは、国内では誰もやったことがないのかもしれない。それならば自分でやってみて確認するしかないのか。もし掘れなかったら、私の思っていることは不可能になる。私はケーシングをシンエイテックに作ってもらい、試してみようと、森社長に相談しました。

「日本車輌でも掘れるかどうかはわからないとのことです。どうしてもこれだけは確認したいので、地盤改良機に取り付けられる40センチのケーシングを作ってもらえますか？そのケーシングの周りに土を掻き出すためのスクリューも付けてください」

「いいですよ。作りますけど、それで穴が掘れるかどうかはわかりませんよ。日本車輌がわからないというのなら、掘れないかもしれません」

「……そうですか……。それでもいいです」

しかし試験しようにも、そのときの尾鍋組が保有していたのは、A工法専用のものだけであり、従来工法を施工するための小型地盤改良機は持っていませんでした。

このため、まずそこから手配することが必要でした。これも森社長に相談し、小型地盤改良機を借りることができました。

もう1つ、大きな問題がありました。試験施工のためのケーシングの製作費用、小型地盤改良機のレンタル費用などの資金をどのように用意するかです。

すでにA工法に1億円近く投資しており、会社には開発に回す資金の余裕などありません。この状態でまったく先の見えない「新工法が可能かどうかを確認するための試験」に会社のお金を使いたいとは、さすがに言い出すことができませんでした。

「せっかく地盤改良の装置を作る会社の社長と知り合って、作ってくれると言っているのに、このまま何もしなければA工法が失敗したという結果しか残らない。しかし、もしこの試験が成功すれば、新工法を作る可能性が見えるかもしれない。今回だけは、自分の貯金から出そう」

私はそう考え、妻に相談しました。渋々でしたが了解してもらい、自分の貯金から支払うことにしました。

そして同時に、こうも考えていました。

「もしこれでできなければ、新工法の開発は諦めるしかないな……」と。

初めての試験施工

後日、森社長から「試験のためのケーシングができました」と連絡が入りました。

2007年4月18日、試験施工の日。試験場所はシンエイテックの資材置き場です。尾鍋組には地盤改良機を運転できる人がいないため、シンエイテックの内田本部長(当時、現社長)にオペレーターを任せました。借りた地盤改良機へケーシングを取り付けます(写真2－3)。

「掘れるのか、掘れないのか。もし掘れたら、日本で初めて確認したことになるのか。できなければ、新工法の開発は諦めるしかないな……」

そんなことを考えているうちに「ケーシングの取り付けが完了しました」と内田本部長が伝えてくれました。

写真2－3
試作したケーシング。外周に土を掻き出すための
スクリューが付いている。

写真2－4
初めての試験施工。小型地盤改良機へ試作した
ケーシングを取り付けて掘削した。

ケーシングをゆっくり回転させながら穴を掘り始めました。すると、スクリューが土を掻き出しながら、みるみるうちにケーシングが地中に入っていきます。直径40センチのケーシングが地面を掘削し、思っていたよりも簡単に深さ5メートルまで入っていったのです（写真2－4）。

「誰もがわからないと言っていましたが、簡単に掘れるじゃないですか」

立ち会っていた森社長も、

「本当ですね、簡単に掘れますね」

初の試験施工で、新工法の開発における最低条件はいとも簡単にクリアできました。

ただ、この出来事は「新工法開発の可能性があることがわかったと同時に、諦める理由が1つなくなったこと」を意味していました。

森社長は試験用だからということで、装置を非常に安く作ってくれたのですが、小型地盤改良機のレンタル費、運搬費や材料費、作業員の費用などを含めると、たった1回の試験施工費用だけで100万円以上の費用がかかっていました。

この試験施工により新工法を開発するための最低条件はクリアしましたが、次の段階へ進むための大きな課題は開発資金の確保です。

1回の簡単な試験施工で100万円以上の費用が必要となるのです。この先、すべての課題を解決して装置を完成させ、市場で使えるようになるまでには、どれだけの費用がかかるのか……この当時は、まったく想像もつきませんでした。このとき、開発に自社の売上以上の費用が必要になることがわかっていれば、開発に取り組んでいなかったかもしれません。

技術開発のための補助金を活用

初めての試験施工をしていた頃、私は開発用の資金をどうするかについて情報を探していました。そんな中、三重県産業支援センターから「オンリーワン技術開発補助金」の公募が開始されていることを知りました。

これは新たな技術を開発する中小企業へ、その開発費用の2分の1を最大400万円まで支援してくれる、三重県独自の補助金制度でした。

早速私は、三重県産業支援センターへ訪問し、これからやろうとしていることを説明しました。

すると担当の方が親切に説明してくれました。

「尾鍋さんが今やろうとしていることは、この補助金の公募対象になりますよ。ただし、多くの企業が応募してきますから、その中で審査を通り、採択されることが必要です。そのためにまず申請書を書いて提出してください」

「ここでもハードルがあるのか……」

A工法ですでに1億円近く投資しており、会社には開発に回す資金などありません。さらに、最初の試験施工だけでも個人のお金を使っています。小さな予算では開発することができない。とにかく半分でも補助金を獲得すれば少しは資金負担が楽になります。

早速、申請書を作成して応募しました。普段は日常の業務に追われて申請書を書く時間が取れません。仕事の合間を見て、会社が休みの日曜日や夜の時間を使い申請書を作成して提出しました。

それからしばらくして、三重県産業支援センターから審査結果の連絡が届きました。開けてみると「採択」でした。

「よし、この資金を使って開発しよう」

ただ、会社としての費用負担も必要になります。そこで、以前から付き合いのある三重信用金庫（現桑名三重信用金庫）へ持ち掛けました。

「新工法を開発しようと思っています。そのために、三重県の技術開発補助金にも採択されました。ついては、技術開発のための資金を融資していただきたいのです」

このときは、三重県が所管する「オンリーワン技術開発補助金」に採択されていたこともあり、融資を実行してもらうことができました。

補助金400万円と自己資金400万円、合計800万円の投資です。最初の試験施工の経験から、これだけでは新工法の開発が終わらないことはわかっていましたが、とりあえずこの場は、この資金を使い開発を進めることにしました。

国立大学の教授との運命の出会い

初めての試験施工の結果、新工法開発の可能性は残りました。しかし、新工法を開発する上で、重要なことが不足していました。

それは、新工法で使う装置が開発できたとしても、その装置で地盤改良した地盤がどれだけ強くなっているのか、その効果や地盤の強度を尾鍋組では検証することができないことでした。

尾鍋組はアイデアとお金を出す、シンエイテックが装置を作る。そして、その装置で施工した地盤改良の効果を検証する。新工法の装置を開発しそれを市場で使うには、新工法の地盤改良効果を検証してくれる人がどうしても必要だったのです。

もちろん、そんな当てはありませんでした。建設コンサルタントの知り合いに相談もしました。しかし返事は、

「その装置は、まだできてないんでしょ？　何をどうすればいいのか、よくわからないなあ」

今になって考えれば、これから新工法の装置を作ろうとしているときに、効果検証の話を持ち込んでも相手にされないのは無理もありません。実のところ、私自身も何をどうすればいいのかわかっていませんでした。

私の出身校でもある三重大学の事務局へ問い合わせたこともありましたが、「地盤改良の効果の検証に取り組める土質力学を専攻している先生は、三重大学にはいません」という返事でした。

検証するには、どうすればいいのか……まったく見当もつきませんでした。

そんなことを考えながら過ごしていたある日、尾鍋組も会員である三重県建設業協会から電話が入りました。

「尾鍋さん、何か変わった地盤改良工法の施工代理店をしてますよね。三重県の技術職員対象の研修会で、その地盤改良工法のことを話してくれませんか？」

「砕石の地盤改良Ａ工法のことですか？」

「それそれ、そのことを講演してほしいんですよ。三重県から、民間企業の方に話をしてほしいとの依頼を受けて、話してくれる人を探しているんです。引き受けていただけないですか？」

「わかりました。お引き受けいたします。よろしくお願いします」

開発会社のF社はすでに倒産していましたが、A工法の施工は続けていました。

「少しでも、A工法のPRになればいいか。また、もしかしたら公共工事で使ってもらえるきっかけになるかもしれない」と考え、講演を引き受けることにしました。

２００７年6月13日。研修会でA工法の講演を無事に終えることができました。

これといった質問もなく、参加していた三重県の職員が帰っていく中でプレゼン用のパソコンを片付けているときに一人だけ残っている人がいました。彼は私のほうへ近寄ってきて、声をかけてきました。

「尾鍋さん、面白いことをしていますね」

「ありがとうございます。でも、施工に時間がかかり大変なんですよ」

と言いながら交換した名刺に書かれていたのは、

『三重大学大学院 生物資源学研究科　教授 酒井俊典』

しかも、話をしてみると専門分野は土質力学です。

新工法の開発における課題だった「地盤改良技術の効果を検証できる人」が突然、目の前に現れたのです。森社長との出会いから約3か月後のことでした。

「三重大学には、土質力学の教授はいないはずなのに……」

そこで聞いた話では、酒井教授は三重大学に着任したばかりでした。私が三重大学の窓口の方に聞いたときには酒井教授のことがまだ伝わっていなかったようです。

酒井教授は、三重県から依頼を受けてその研修会を主宰していました。

「どうせ勉強会をするなら、大学と県庁だけじゃなく、企業の人にも入ってもらおう」と酒井教授は考えたそうです。お互いに意見交換もできるでしょうし、幅広い考察ができるという狙いだったようです。それで私にお呼びがかかったのです。

帰り道、車を運転しながら私は考えました。

「酒井教授が新工法の開発に協力してくださるなら、新工法の開発に必要なメンバーはすべてそろうことになる。しかし、国立大学大学院の教授が田舎の土建屋の雲をつかむような構想に協力してくれるのだろうか……？　でも、それも聞いてみないとわからない。このままでは何も進めることはできない。ダメでもともとだ」

後日、私は酒井教授を訪ねました。そこで砕石の地盤改良に取り組んだ経緯、その社会的な価値などを話しました。そして本題へ。

「実は、今回の講演で紹介したA工法の開発会社は、1年ほど前に倒産しました。しかし、砕石の地盤改良技術はこれからの社会に必要な技術だと思い、現在も施工は続けています。しかし、A工法には課題も多いため、私は、A工法とは別に新しい独自の工法の開発をしようかと考え、先日、試験施工を行って最低条件だけはクリアしました。もしも尾鍋組が本格的に砕石を使う地盤改良の新工法を開発するとなったら、その装置の開発から地盤改良効果の検証まで協力していただきたいのです。いかがでしょうか?」

「はい、いいですよ」

「ありがとうございます!」

新工法の開発に必要な「役者」がそろった瞬間でした。

新工法の自社開発を決断

これで、新工法の開発を進めるための資金以外の条件は整いました。

あとは自分自身、尾鍋組として本格的に新工法を開発するかどうかを決めるだけです。

しかし、自社開発には大きなリスクが伴います。A工法の課題はわかっているのですが、具体的な解決策がそのときにわかっていたわけではありません。

また、どれだけの費用、どれだけの期間がかかるのか見当もつかない、まるっきり雲をつかむような話です。

また失敗すれば私の立場も厳しくなるでしょう。それどころか会社も、個人の財産もすべて失うかもしれません。

だからといって新工法を開発しなければ、A工法で失敗してできた借金が残るだけ。すでに、砕石の地盤改良事業への投資額は1億円を超えているのです。それを今後、確実に減少していく公共工事だけで返済していくことになるのです。

新工法を開発する道を選ぶのか、それを諦めて公共土木工事だけを続けるのか、どちらも、いばらの道であることはわかっていました。

ただ、砕石の地盤改良技術は、地球環境の保全、土地の価値の保全など、これからの社会や未来の子どもたちのために、そして持続可能な社会を実現するために必要な技術であることは確信していました。

社内で相談しても「やめろ」と言われることはわかっています。

ましてや、A工法の課題に対して具体的な解決策もない状況では、どれだけ考えても答えは出ません。このとき、司馬遼太郎の『竜馬がゆく』を思い出しました。

「自分は、何をするために生まれてきたのか。今やろうとしていることは、これからの社会に対して決して間違っていない。しかも、出会うはずのない人たちと偶然にも出会えた。これも運命かもしれない。『あのとき、やっていればよかった』という後悔だけはしたくない。

たった一度の人生だ。たとえどんな結果になろうとも、自分がどう考え、何をしたのかを、社会にも子どもたちにも説明できることが一番大切だ。何があっても命まで取られることはない」

私は新工法の開発に取り組むことを決断しました。

私が45歳、子どもは中学生が2人、小学生が1人、2007年の夏のことでした。

第3章

不可能への挑戦

新工法の開発方針

三重県産業支援センターの「オンリーワン技術開発補助金」にも採択され、三重大学の酒井俊典教授との共同研究契約も無事締結し、新工法の開発がスタートしました。

今、改めてエコジオ工法の装置を見ると、「こんな形をしているんだ」と思いますが、このときはまだ、影も形もない「ゼロ」の状態でした。しかもこの頃、尾鍋組が持っていたのは「A工法専用の地盤改良機」だけであり、すでに住宅の地盤改良市場へ普及している小型地盤改良機は持っていなかったのです。これでは新工法の装置を考えて作ったとしても、取り付けて実験することができません。

そこで、再度森社長に相談しました。すると、日本車輌に中古機があるとのことで、早速購入しました（写真3－1）。これで新工法の開発に必要な機材がそろいました。

新工法の開発方針については酒井教授と協議し、A工法の課題とそれに対する対策などを検討しました（44ページ表2－1参照）。

このときわかっていたことは、「市場に普及している小型地盤改良機へ、直径40センチのケーシングを取り付ければ、穴を掘ることができる」ということだけでした。

すべての項目の開発を同時に進めることはできないので、まずは「砕石の締固め方法」を開発し、それができれば次に施工状況を表示、記録する「施工記録の管理システム」の製作と、施工原価に影響する「施工効率の改善」を開発することとしました。

これらの開発が完了し第1号機が完成すると、さらに2つのことが必要になります（図3－1）。

1つ目は、新工法の1号機を実際に市場で何度か使ってみて、装置や施工記録管理シス

写真3－1
購入した中古の小型地盤改良機。

テムなどに不具合が発生しないか、耐久性に問題がないかなどを検証して課題を改善すること。
2つ目は、新工法の地盤改良技術としての性能を公的な第三者機関に審査してもらい、「建築技術性能証明」を取得することです。

これらの開発方針について協議をしている途中で、あまりにもやるべきこと、解決すべき課題が多いことに気づきました。さらにはそれらすべてが経験したことのないことばかりで、正直なところ「やると決めたものの、本当にできるのかな」とも感じました。

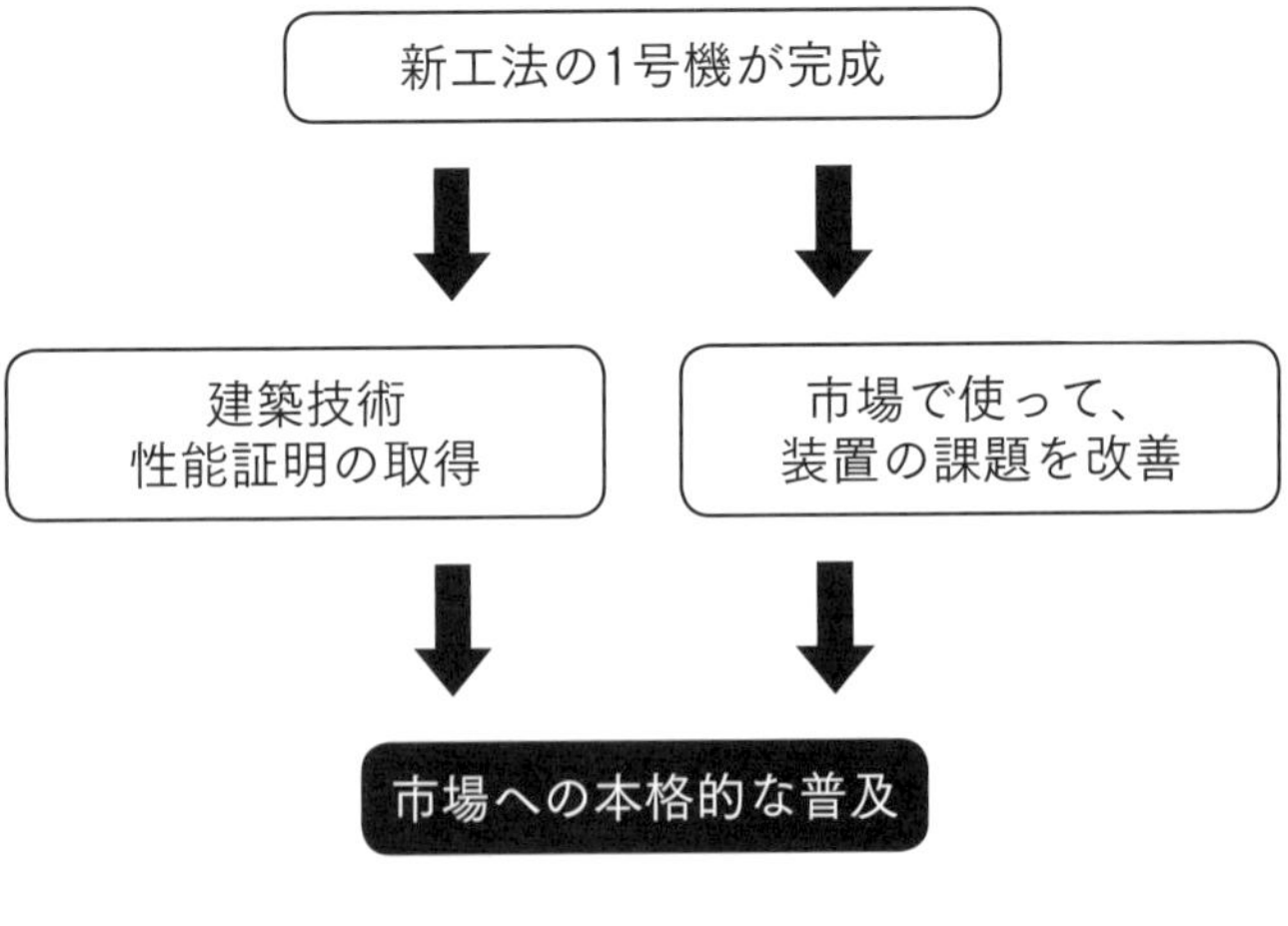

図3－1　新工法の1号機が完成したあとでクリアーすべき2つの課題。

砕石の締固め方法の開発

まずは、砕石の締固め方法、わかりやすくいうとケーシングで円柱状に掘った穴へ砕石を詰め込む方法の開発に取りかかりました（写真3－2）。

砕石を使う地盤改良においては、その強度を確保する上で最も重要な開発項目です。砕石は「固まった杭」ではないので、地面に詰め込む圧力がばらつくと、強度もばらついてしまいます。そのため、同じ圧力で砕石を詰め込むことが必要です。しかも、オペレーターの熟練度に頼らず、経験が浅いオペレーターが施工しても同じように施工できることが必要です。

これらのことを解決できる締固め方法を目指しました。

何度も酒井教授と協議し、考えた装置を森社長へ説明します。そして、森社長が独自のノウハウを加えてその図面を書き上げます。それを基にシンエイテックの工場でその装置を製作してもらい試験施工を行います。

試験施工では施工方法などを変えながら、施工にかかる時間、地中へ詰め込んだ砕石の量などを測ります。そして、地面に詰め込んだ砕石の上に数トンの力をかけて地盤の強さを求めて地盤改良の効果を調べていく、地道な作業の繰り返しでした。

シンエイテックの敷地内でも試験施工を行いました。

同社は海までは数百メートルの四日市市の工場地帯の一角にあります。そこの地盤は砂の地層であり、掘ればすぐ地下水が出てくる砂浜のような地盤です。そのため、掘った穴はすぐ崩れてしまう、施工が非常に困難な地盤でした。逆に言うと、試験施工にはもってこいの場所です。

ほかの場所ではできた方法でも、シンエイテックの敷地内ではなかなか思ったように施工できないため、さらに何十回も装置の試作と試験施工を繰り返しました。森社長が書い

写真3−2　砕石の締固め方法の開発。

た図面は、締固め方法の開発だけで数十枚に及びました。

砕石の締固め方法を開発するときに、もう1つ課題がありました。ケーシングを回転しながら地中へ入れていくときに、ケーシングの下側先端部から土や地下水がケーシングの中へ入り込むのです。これを防ぐ方法もなかなか見つからず、試行錯誤していました。

そんなある日、試験施工のためにシンエイテックへ行くと、打ち合わせ不足が原因だったのか、私が依頼した形とは違う形の装置が出来上がっていました。それまでの装置の製作では一度もこのようなことはありませんでした。

「思っていた形と違うな。でもこの形は初めてだし、せっかく試作した装置だから、このまま試験施工してみよう」

そう考え、その装置をそのまま使って掘削してみました。すると、ケーシングの中に土も水も入ってこないのです。

「あれっ？　土も地下水もケーシングへ入ってきてない。もしかして、この方法は使えるのでは？」

解決が難しかったこの課題は、「打ち合わせ不足により間違って作った装置」がもとになり解決することができました。

シンエイテックの敷地は舗装されていたのですが、試験施工のたびにその舗装を剥がしていきました。そのため、敷地内の舗装は、みるみるうちに砕石の地面へと変わっていきました。

このように試験施工を数十回繰り返した結果、まったく新しい砕石の締固め方法を見つけ出しました。

ここでは詳しい説明は省きますが、出来上がった締固め方法は、ケーシングの一番下のプロペラのようなものを回転させながら、砕石を厚さ10センチごとに、一定の圧力で押さえつける方法です(図3－2)。この方法であればオペレーターの熟練度に影響されることもありません。

押さえつける圧力を10センチごとに数字で記録するため、圧力が不足した場合は記録を見ればひと目でわかります。

そのあと、さらに開発を進め、今では砕石の締固めを自動で行うこともできるようになりました。これも、砕石の地盤改良技術では初めてのことです。

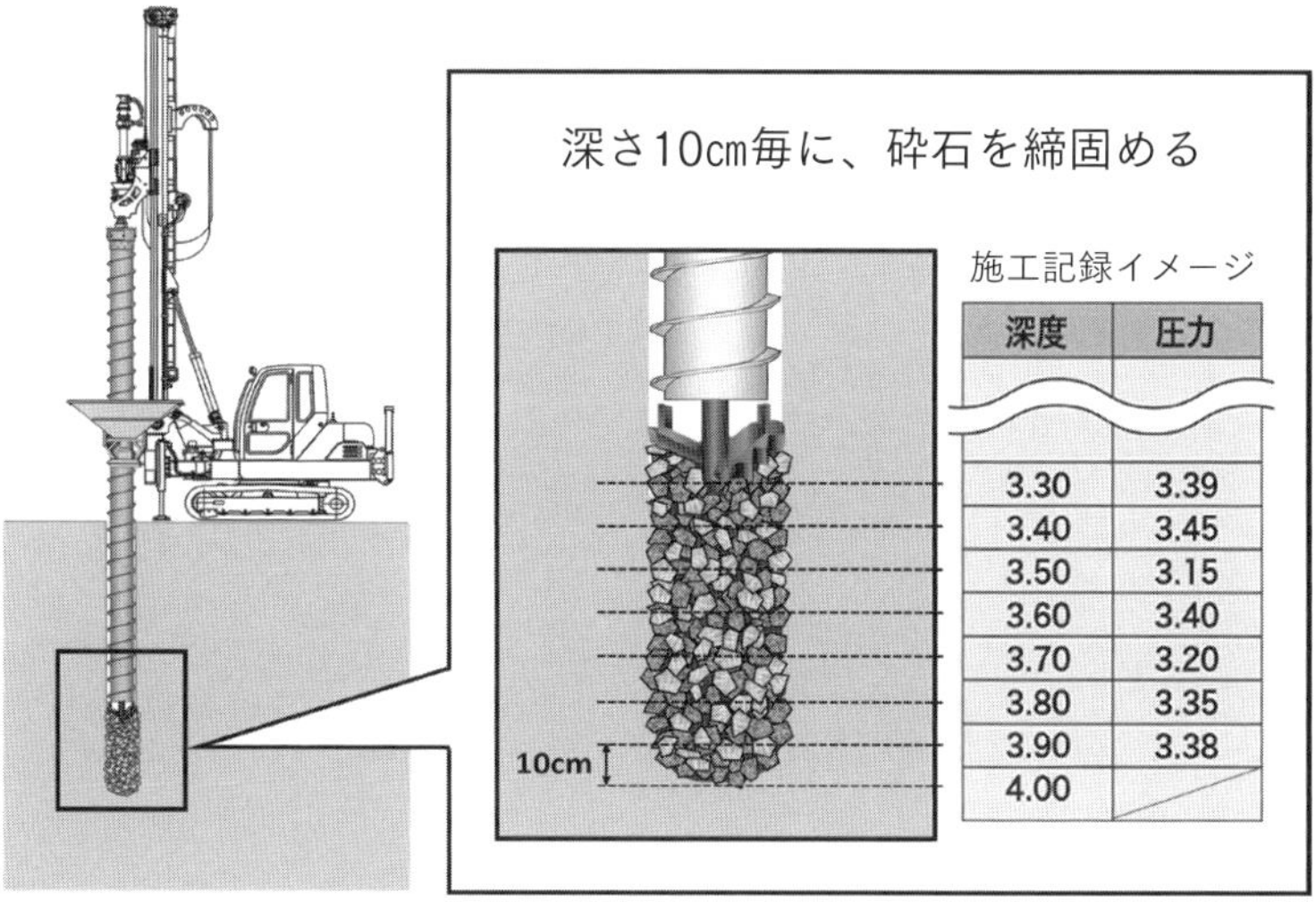

図3－2　開発した砕石の締固め方法。

砕石の締固め方法は見つけましたが、この開発だけで、すでに三重県産業支援センターの補助金と自己負担分の経費は、すべて使い果たしてしまいました。

「まだ砕石の締固めの方法を見つけただけだ。装置を完成させ新工法を市場に出すまでには、いったいどれだけのお金と年月が必要なのか……」

ある程度は覚悟していましたが、新しい技術を開発し市場に出すことは、想定していたよりもはるかに莫大な資金が必要になることが、このときはっきりとわかりました。

開発資金がない

三重県産業支援センターからの補助金はすでに使い果たし、自己資金に余裕はまったくありませんでした。しかし、やると決めたことです。まずは、何とか資金を確保しなければなりません。

三重県産業支援センターにも相談しましたが、対象となる補助金の公募はすべて終了していることでした。

経済産業省や環境省の補助金もすべて調べましたが、適当な補助金を見つけることができません。ましてや、この状態で金融機関に融資の依頼をするにも、雲をつかむような話しかできません。

新工法の開発を開始して早々、資金の壁にぶつかりました。

何かいい支援策はないだろうかと思いインターネットで検索していると、国土交通省住宅局のＨＰへたどり着きました。そこで見つけたのが住宅の環境問題等への対応を目的とした技術開発のための補助金「住宅・建築関連先導技術開発助成事業」です。

【住宅・建築関連先導技術開発助成事業。（国土交通省ＨＰより）】

環境問題等の住宅政策上緊急に対応すべき政策課題について、先導的技術の導入により効果的に対応するため、先導的技術の開発とその技術を用いた住宅等の供給の促進を目的に、技術開発を行う民間事業者等に対して国が支援を行う制度で、平成17年度に創設されました。

しかも、技術開発にかかる費用の半分を年間最大1億8000万円まで、最大3年間にわたり補助するというものです。

「今開発しようとしている新工法は、この補助金の趣旨に合致する。これを使おう。これなら、大きな資金を支援してもらうことができる」

そう思って申し込み方法を詳しく読むと、まずは開発の目的、技術の概要、期待される効果、開発スケジュール、予算などを記載した申請書を提出し、書類審査に通れば、次は東京まで行き、国土交通省住宅局でプレゼンテーションを行い、その場で審査員の質問に答えるというものでした。それが通れば採択ということでした。

さらに、この補助金の過去の採択案件の一覧表を見ると、採択件数は日本全国で1年間に50プロジェクト程度しかなく、しかも採択者の多くは全国的に有名な企業です。田舎の土建屋らしき企業名は見当たりませんでした。

「もしかして、この補助金は大手企業が対象の、すごく狭き門なのか？　しかし、ほかに方法は見つけられない。やるしかない」

それから何度も三重大学の酒井教授と打ち合わせ、申請書を作成しました。作り上げていく中で、今後の技術開発の課題や対策、スケジュールが自分自身の中で明確になっていくことに気づきました。

ようやく申請書を書き終え、尾鍋組と酒井教授の連名で提出しました。

約1か月後、1次審査の結果が届きました。「合格」です。

「よし、次はプレゼンテーションだ」

再び、夜と休日を使ってプレゼン資料を作り、2008年4月、酒井教授と東京のプレゼン会場へ向かいました。

「まさか仕事で東京へ来ることになるとは。父のあとを継いで公共土木工事だけをやっていた頃には考えたこともなかったなあ。でも、さすがに東京は人が多いな」

東京の友人の下宿へしばらく居候していた大学生の頃が懐かしく思い出されました。

審査員と国土交通省住宅局のスタッフ15名程度の前で、砕石の地盤改良技術は従来工法と比べ環境負荷を大幅に低減できることや、土地の価値を保全できることなどの社会的価値を説明し、今開発に取り組んでいる新工法の概要を説明しました。

過去にA工法で多くの講演をしたこともあり、プレゼンは比較的スムーズに行えました。

数日後、審査結果が届きました。「採択」でした！

「よしっ。これで開発資金の半分が何とかなる。あとは金融機関へ融資の申し込みだ」

このときの尾鍋組には自己資金がまったくない状態でしたが、再び三重信用金庫へ融資を申し込みました。

ただ、尾鍋組の売上に対してあまりにも開発にかかる費用が大きいため、これまで以上に詳細な事業計画書を求められました。その後、何度かのやりとりを経て、技術開発のための資金を引き続き融資してくれることになったのです。

これで当面の資金を確保することができました。

施工管理装置を作ってくれる会社がない

締固め方法の開発の目途が立った頃、施工記録の課題を解決するために、施工管理装置と専用ソフトウェアの開発に取りかかりました。

施工管理装置とは、地盤改良機の運転席に装備されている、施工の状況を表示・記録するためのコンピューターです(写真3－3)。その施工管理装置へ新工法専用のソフトウェアをインストールすることで使うことができます。

施工管理装置と専用ソフトウェアをまとめて、本書では「施工管理システム」ということにします。

地盤改良工事は土の中で行いますので、その様子を地表から見ることはできません。特にバラバラの砕石を使う地盤改良工法では、現場での施工方法が品質、強度に大きく影響します。しかし、品質を証明するためにいちいち掘り返したり、止めて見たりすることはできないのです。

何メートル掘ったのか。どれだけの量の砕石を入れたのか。その砕石を、きちんと同じ力で詰め込んだのか……。「施工管理装置」は、そういった情報が、地盤改良機の運転席で確認できるというものです。

新工法の施工管理システムでは、誰が施工しても同じ品質を確保するために「施工の深さ」「10センチごとの砕石を締固めた圧力」「使

当時の新車に搭載されていた日本車輌の施工管理装置。
これに新工法専用ソフトウェアをインストールしようと考えた。

写真3－3
日本車輌の小型地盤改良機（運転席の様子）。

った砕石の量」の3つの項目を砕石の柱1本ごとに表示、記録することとしました。

しかし、当時新工法の開発に使っていた日本車輌製の中古の地盤改良機に付いていた施工管理装置は10年以上前のもので、モニターはモノクロの小さな画面、施工した記録はロール紙で打ち出す方法でした。

しかも、その管理装置で管理できる項目は、従来工法に必要な項目だけです。これでは新工法の施工管理はできません。

そこで日本車輌に問い合わせると、その当時販売されている小型地盤改良機の新車には、すでに大型のカラーモニターが搭載され、施工記録もUSBへ電子データとして取り込むことができると言うのです。

そこで、今開発している新工法を管理するために最適な方法として、日本車輌純正の施工管理装置へインストールできる新工法の専用ソフトウェアを日本車輌で作ってもらうのが一番いいのでは、と考えました。早速、酒井教授と専用ソフトウェアの仕様を検討し、日本車輌へ連絡しました。

「今、三重大学と共同で砕石の地盤改良工法を開発しています。その新工法の施工管理を日本車輌純正の施工管理装置で行いたいと考えています。新工法を管理するための専用ソフトウェアを作ってもらえないでしょうか？」

「その新工法は、できているのでしょうか？」

「いいえ、まだです。今、開発をしているところです」

「そうですか……社内で確認してみます」

後日、連絡が入りました。

「先日ご依頼いただいた、専用ソフトウェア開発の件ですが、申し訳ありませんが、弊社では対応いたしかねます。そもそも日本車輌では、純正の施工管理装置へ従来工法である柱状改良工法、鋼管工法以外の独自工法の施工管理用のソフトウェアをインストールした前例がありません」

考えてみれば無理のない返事です。


しかし、地盤改良工法で施工管理システムがないということは、実際の市場で使うことはできないことになります。何としても作らなければなりません。

そこで私は、インターネットで地盤改良の施工管理システムを作る会社を検索し、そこで見つけたすべての会社へ電話をしました。しかし、話が前に進む会社は見つかりませんでした。

まったく知らない田舎の土建屋がいきなり電話をしてきて、できてもいない地盤改良工法の施工管理システムの製作を依頼しているのですから無理もありません。

「どうすればいいのか……」

どれだけ考えても、答えが出ることではありませんでしたが、毎日、考え続けていました。

1通のFAX

すべての会社に断られてから1か月ほど経過したある日の朝、いつものように会社へ出勤し、いつもなら気にしない会社のFAXの受け台をふと見ると、信じられないDMが届いていていました。

「地盤改良の施工管理装置・ソフトウェア作ります！」

ドラマの脚本家なら、こんな都合のよすぎる展開にはしないでしょう。

「こんな会社があるのか？」と思うと同時に、「どうして今、こんなDMが届くのか。『捨てる神あれば拾う神あり』とはこのことか」

発信者は地盤改良機の施工管理装置とソフトウェアの開発を行っている新潟県の「G社」でした。インターネットで検索したときには見つけることができなかった会社です。

私は早速G社の社長に電話で事情を説明しました。すると、「新工法について一度詳しい話を聞かせていただくために、三重県へ伺います」とのこと。早速、酒井教授に連絡し、日程調整をしました。

2008年6月10日、G社の社長が自ら話を聞きに来てくれました。三重大学がある、津駅の近くの料理屋でG社社長、酒井教授、私の3人で昼食をとりながら、環境や土地の価値の保全など新工法の社会的価値、これまでの開発の経緯、作りたい施工管理装置、専用ソフトウェアの概要について説明しました。すると社長は、「わかりました。一度弊社のスタッフと一緒に新工法の装置と施工状況を見せていただきます」。

それから数日後、G社社長とスタッフが新工法を視察に来ました。場所はシンエイテックです。いつものように敷地内のアスファルトを剥がし、地盤改良機に開発途中の装置を付け、開発中の新工法の施工の様子を見てもらいました。

その後、シンエイテックの会議室を借り、社長とスタッフ、酒井教授、私、濱口の5人で、施工管理装置、専用ソフトウェアの詳細、施工時の管理項目などについて協議しました。

「このような方法で施工管理したいのですが、施工管理システムを作ってもらえますか。また、それを日本車輌製の小型地盤改良機に取り付けてもらうことはできますか？」

「大丈夫です。できますよ」

さらに話を聞くと、施工管理装置から施工記録を暗号化して取り出し、日本国内のどこで施工しても、専用サーバーを使いクラウドシステムで施工記録を一括で保管できるとのことです（図3－3）。

このG社の仕組みを使うことにより、施工記録の改ざんを防ぎ、しかも、全国の施工記録を1か所に保管できる仕組みも同時に構築できることになりました。

「これで施工管理システム、施工記録の管理

図3－3　データ管理クラウドシステムの概念

は大丈夫だ」

依頼した施工管理装置の製作会社すべてから断られていた2か月前には考えられない状況になっていました。

「こんなにうまく話が進んでいいのだろうか」

これまでの開発の中で想定以上に物事が進んだのは、このときが初めてでした。

最大の課題　砕石の投入方法

施工管理システムの開発と同時に進めていながら、最後まで解決できずに残っていたのが、「ケーシングへの砕石の投入方法の効率化」でした。

施工日数を短くするためには、ケーシングへ砕石を入れる時間を大幅に短縮することが必要でした。

砕石を使う地盤改良工法は、以前から国内でも液状化対策として行われていました。しかし、住宅用の地盤改良機の10倍ほどの大きさで、総重量が100トンにも及ぶ大きな地盤改良機を使い、深さ20～30メートルの砕石の柱を地中に作るのです。

その工法でもケーシングを使うのですが、砕石をケーシングへ入れる方法は、ホッパー

（砕石をストックする入れ物）へ砕石を投入し、そのホッパーをケーシングの最上部まで持ち上げ、ケーシングの最上部から投入する方法です。

液状化対策として、砕石杭は世界中で使われているため、インターネットで世界中の砕石の投入方法を調べてみたのですが、いずれの工法もケーシングの最上部から砕石を入れる方法が採用されていました（図３－４）。

今、尾鍋組と三重大学が開発している工法は、小型地盤改良機を使います。

大型の地盤改良機と同様の仕組みを小型化して組み込むとアタッチメントが高額になってしまいます。

新工法では、地中への砕石の詰め込み深さ

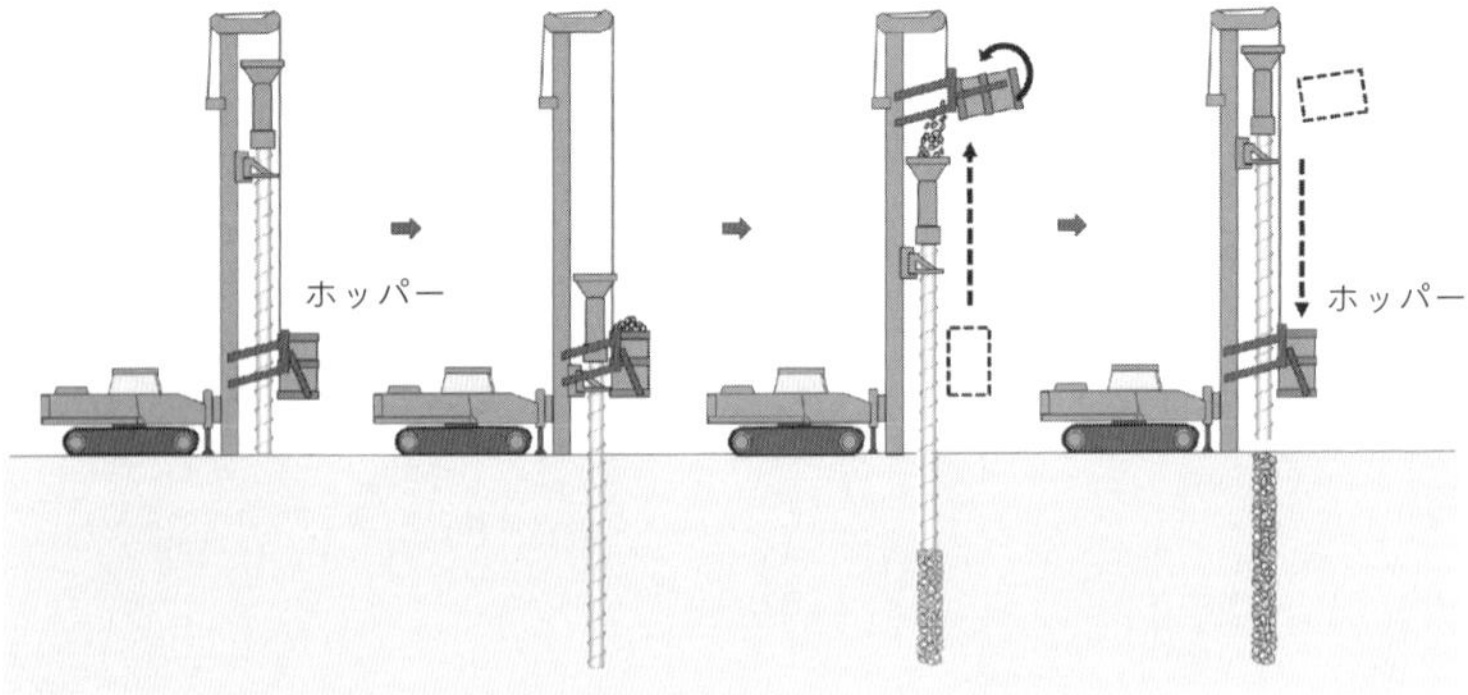

図3－4　大型の地盤改良機によるケーシングへの砕石投入方法

を最大5メートルとしています。

仮にこの方法で行う場合でも、砕石を地上から最大5メートル上まで持ち上げる手間が必要となり、施工に多くの時間がかかり、結果として施工日数が長くなります。

たとえ品質がよくても施工原価を抑えられなければ、市場で広く受け入れられるのは難しくなります。

住宅の地盤改良工事では、もっと早く砕石を投入する方法、すなわち砕石を連続してケーシングへ投入できる方法が必要だったのです。

酒井教授、森社長、社員とも何度も相談しました。ベルトコンベア方式でケーシングの最上部まで運ぶ方法など、いくつかの方法を考えましたが、なかなかこれといったアイデアが思い浮かびません。

そこで私は、ケーシングの途中から砕石を投入することができないか、と考え始めました。ホッパーを低い位置へ固定し、砕石をケーシングの最上部まで持ち上げずにケーシングへ投入できれば、施工時間を大幅に短縮できると考えたのです。

インターネットで世界中の方法を調べ直すとともに、砕石の地盤改良に関する特許も調べてみました。しかし、そのような方法は見当たりません。とはいえ、施工時間を大幅に短縮するにはこの方法が最適だと判断し、開発することにしました。

失敗の連続

シンエイテックの森社長に考えを伝えました。

「施工中にケーシングが地面の中へ入っているときはその中へ土や地下水が入らず、地上に出ている部分のどこからでも砕石を入れられるケーシングを作りたい。それができれば砕石をケーシングの最上部まで持ち上げる必要がなく、低い位置へ固定したホッパーから砕石を連続で投入できます。そうすれば施工時間が大幅に短縮できます」

「また変なこと言い出したな」という目で私を見ながら森社長が答えました。

「言っている意味はわかるが、さすがに私もそんなケーシングは作ったことがない。でも、作りたい形や仕組みを説明してくれれば作りますよ」

「ありがとうございます」

これまでも、私がどんなに無理を言っても形にしてくれたので、私は思っている形を説明しました（図3－5）。

すると森社長は、「話はわかりました。ただ、それは図面に書くことがとても難しい。さらに、１つ作るのに原価でも確実に数百万円はかかりますよ。１回で成功すればいいですが、できない可能性のほうが高くないですか？」

確かに、これまでも数百枚の図面を書いて作ってもらっても、うまくいったことは10回に1回もありません。ほとんどが失敗の繰り返しでした。

私が思いついたケーシングを１回作ろうとすると、それだけで図面は数十枚になってしまいます。

しかし、このケーシングを開発しなければ、施工原価を下げることはできません。

「図面が作れなければ装置は作れない。どうすればいいか……」

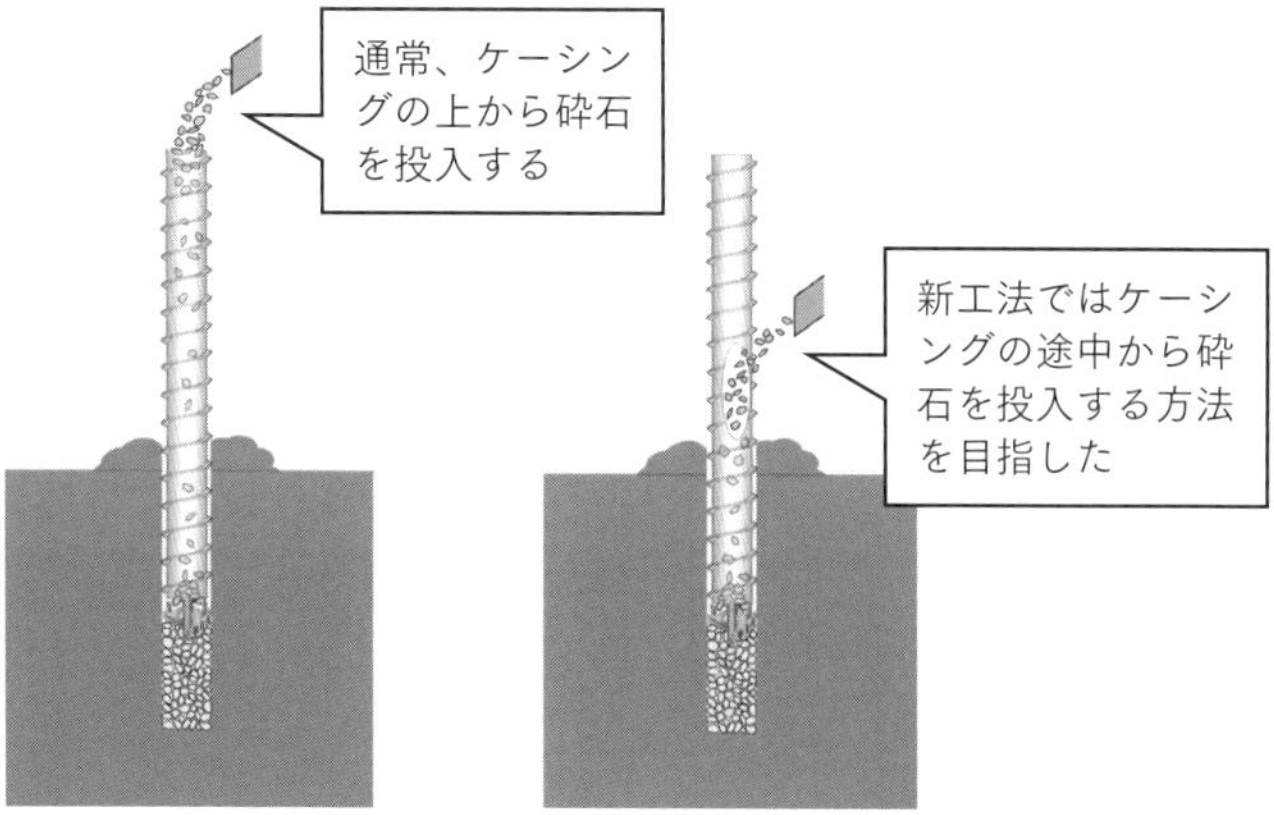
通常、ケーシングの上から砕石を投入する
新工法ではケーシングの途中から砕石を投入する方法を目指した

図3－5　新工法での投入方法

私は、模型を作ることにしました。

考えたのは、砕石を投入するための「窓」が数か所付いているケーシングです。地中では窓を閉じておく、そして地上では窓を開けそこから砕石を投入するという考えです。

作ったのは、現物のケーシングと同じ大きさの模型です。昼間は会社での通常の仕事があります。そのため、模型作りは夜と会社が休みの日曜日に限られていました。

会社の2階の会議室を使って私は模型を作りました。模型を作るだけでも2週間近くかかりました。そして、出来上がった模型を持ってシンエイテックへ行きました。

「尾鍋さん、模型屋さんができるなあ」

森社長に言われましたが、私自身もこの模型はうまくできたと思いました。


早速、それをもとに図面を書いてもらい、小さな扉が数か所付いているケーシングを作ってもらうことになりました。しかし、シンエイテックの工場のスタッフも初めて作る形のものばかりで、なかなか思うように製作が進みません。

製作においても試行錯誤を繰り返し、装置が出来上がるまでに1か月以上かかりました。

そして試験施工の日が来ました。

いつものように、シンエイテックの敷地の舗装を剥がしました。

地盤改良装置へ作ったケーシングを取り付けて、いざ試験施工の開始です（写真3－4）。

私は祈るような気持ちで見守りました。

掘削を開始して掘り進み、ケーシングが地中へ5メートルまで入りました。掘削は問題なくできました。

次に、砕石を投入しようと思いケーシングの中を確認すると、中は地下水と土が混ざり合った泥だらけです。砕石を投入するための窓と、そこに付けた扉の隙間から、土や水が大量に入ってきているのです。1か月以上もかけて作ったケーシングが、30分程度の試験施工で使い物にならないことがわかりました。

「多少は想定していたが、やっぱりダメか」

この1回の試験施工だけでも、数百万円の費用がかかりました。

写真3－4　シンエイテックの敷地内での試験施工。

試験施工が終わると、いつも森社長はひいきにしている寿司屋へ私を連れていってくれました。そこで、夕飯を食べながらその日の失敗の原因と今後の開発の話をするのです。

この寿司屋へ何度連れていってもらったかは数知れず、つまりは、その数だけ失敗を重ねたということです。

私の自宅はここから車で1時間30分ほどかかるので、お酒を飲まずに夕食だけを食べました。食事を終えて帰る車中も、次はどのようにするかを考えるのです。すると不思議と、運転している途中でアイデアが浮かんできたものです。

翌日からまた、思いついた形の模型を休日返上で作ります。私が模型を持っていくと、今度は森社長とシンエイテックが休む暇がありません。そして、1か月程度かけてやっと形が出来上がり試験施工をします。

すると、1時間もかからないうちに残念な結果が出るという繰り返しです。この頃にはシンエイテックの番頭の内田本部長（現社長）も、さすがにあきれていました。あとで聞いた話ですが、試験施工が失敗に終わり、私が帰ったあとで森社長と内田本部長は、毎回「これで尾鍋さんも諦めるだろう」と話していたそうです。

ですが、当の私は「諦めることはできない。明日もう1日頑張ろう」と思い続けていました。

ケーシングの開発の失敗が続いていたこの頃、社内で新工法の開発が大変なことになっていると感じたのか、ケーシングの開発については、誰も何も言わなくなっていました。

何度か繰り返した試験施工が失敗に終わり、次のアイデアが思い浮かばなくなったある日、シンエイテックの社長室で森社長から言われました。

「尾鍋さんの気持ちはわかる。でも、今まで何度やってもすべて失敗している。このまま続けてもできる保証はない。私は頼まれればどんなものでも作りますが、どうしても原価だけは必要になる。この先、どれだけお金がかかることになるかもわからない。

私は、日本最大の地盤改良会社が大型の地盤改良機でケーシングを使って砕石地盤改良を施工する現場を見たこともあります。そこの職人とも話をしたこともある。そこでも、砕石はケーシングの上から入れています。

もし、尾鍋さんの言うように、どこからでも砕石が入るケーシングができるなら、世界中で使っていますよ。大型の地盤改良機と同じように、砕石はケーシングの最上部から入れることにしましょう。これは、終わらない開発になりますよ」

これといった解決策が見出せず、失敗を繰り返す中で、この道40年の森社長の言葉は私の胸に重く響きました。森社長が開発にかかる費用のこと、尾鍋組のことを心配して言ってくれていることはわかりました。

その日の帰り道、車を運転しながらこれからどうするかを考えました。

「ここでケーシングの開発を諦めたら、自分自身で納得できない中途半端な地盤改良技術を世の中へ出すことになる。さらに施工原価が下がらなければ、結局はＡ工法と同じように施工代理店が利益を上げられない。そして、最終的には施主さまの負担も増えてしまう。しかし、これまで思いつく方法はすべて試したが、できなかった。やはり不可能なのか……。でも、不可能が証明されたわけではない」

無理やり自分自身に言い聞かせました。

エジソンの言葉

すでに砕石の地盤改良への投資は、Ａ工法への取り組みも含めると2億円を超えていました。ここで諦めたら残るのは借金だけです。

「自分がやろうとしていることは間違っているのだろうか？　進むべき方向はどこなのか？　本当にこのまま開発を続けていいのだろうか。現状を話せば、誰に聞いても『やめろ』と言うだろう」

誰に聞くこともできない中、ある夜、会社でパソコンを開き、「人生 言葉」と入力し、検索をクリックしました。すると、偉大な人物の言葉が次々と出てきました。そして、ある言葉が目に留まりました。

――ほとんどの人間は、
もうこれ以上アイデアを考えるのは不可能だというところまで行きつき、
そこでやる気をなくしてしまう。
勝負はそこからだというのに。――

トーマス・エジソン

この言葉に勇気づけられたわけではありません。この言葉を信じて前に進むしか道は残っていなかった、というのが正直なところです。
「よし、勝負はこれからだ。もう一度頑張ろう」
そう自分に言い聞かせました。

非常識な発想

それから何日か過ぎたある日、これまでとはまったく違う1つのアイデアが浮かびました。

「ケーシングの側面に『縦長の窓』を付ける。そこへ『窓を覆うようにゴム製の長い扉』を付けよう。地中では、土の圧力でゴムの扉は閉じている。地上ではゴム扉を開け、そこから砕石を入れる」

私は、すぐにシンエイテックへ向かいました。

「森社長、いい方法を思いつきました。ケーシングの側面に縦に長い窓を付けて、そこへゴムの扉を付けようと思います（図3-6）。これ、いいですよね？」

森社長は即答しました。

「尾鍋さん、地面を掘る装置へゴムを使うなんて……土の中でケーシングを回転させるんですよ。ゴムなんて一発で千切れてしまいますよ」

森社長は、また尾鍋さんが変わったこと言い出したな、という表情でした。

「そうですかね……でも、その形のケーシングは作れますよね？」

「ええ、装置は作ることはできますよ。しかし、ゴム扉のところのスクリューはどうするつもりですか」

「ゴム扉のところのスクリューはなくします。スクリューがないと土を掘れないですか？」

「そんな変わったケーシングは作ろうとした人がいないから、わかりませんね」

いつか聞いたような言葉でした。

「でも、作ることはできますよね？」

「できますよ」

「じゃあ、お願いします」


それまでの開発で、私は数えきれないほど思いついたことを森社長に言ってきました。

すると、最初は「それは……」と渋るものの、こうすればより良くなるという40年間蓄積したノウハウを加えて図面を描き、試験施工の装置を作ってくれました。森社長でなか

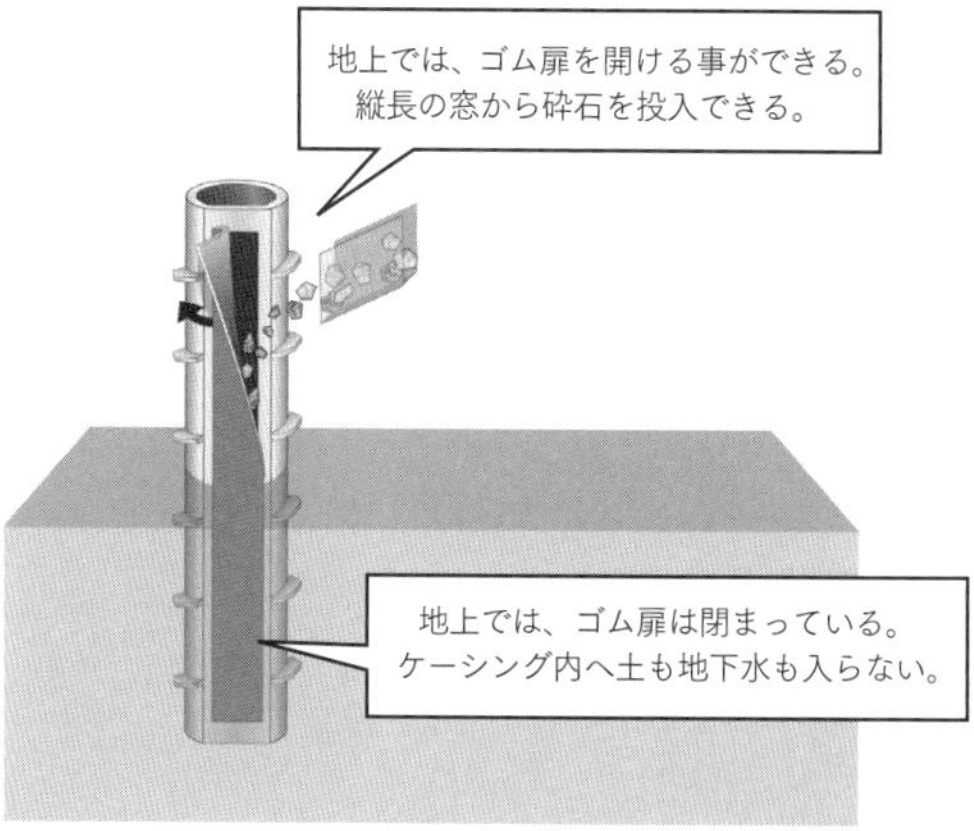
地上では、ゴム扉を開ける事ができる。
縦長の窓から砕石を投入できる。
地上では、ゴム扉は閉まっている。
ケーシング内へ土も地下水も入らない。

図3−6　縦長の窓とゴム扉を付けたケーシング。

ったら、おそらくここまで付き合ってくれる方はいなかったのではないかと思います。地盤改良の装置を作るのが本業であるとはいえ、試作した装置の9割以上が使えないことになるのです。数十枚の図面を書いてもそれが使われるのは、試験施工の1回きり。しかも、試験施工をするたびに敷地内の舗装は砂利になっていきます。単純に商売として考えたらまったく成り立ちません。

あの頃、内田本部長をはじめ、実際に工場で作業しているスタッフのみなさんも、面倒な形をした装置をよく何度も作ってくれたと今でも感謝しています。

話を試験施工に戻します。

今回のアイデアは、円柱状のケーシングに窓を取り付けるため、周囲に付いているスクリューを円周の4分の1ほどなくすことが必要です。まずは、窓を付ける箇所のスクリューがなくても土を掻き出して穴が掘れるかどうかを確認するため、スクリューを一部分切り取り、そこへ平らな鉄板を貼り付けたケーシングを作ることにしました。これで、穴が掘れるなら、次にそこへ「縦長の窓」と「窓を覆うゴム扉」を付けることにしました。

私と酒井教授はシンエイテックへ向かいました。いつものようにシンエイテックの敷地の舗装を剥がし、作ったケーシングで掘削を開始します（写真3－5）。

　すると、それまでの普通のケーシングと同じように穴を掘ることができたのです。

「掘れるじゃないですか」

「ほんと、簡単に掘れますね」

　森社長と内田本部長は顔を見合わせました。これも、いつか聞いた言葉でした。

　穴が掘れたら、次のステップです。

「次は、スクリューが付いていない面へ縦長の窓を付けて、その窓を覆うようにゴム扉を付けてください」

　ゴム扉は、少し硬いほうがいいと考え、ベルトコンベアのゴムを使うことにしました。

　数日後、縦長の窓とゴム扉の付いたケーシ

写真3－5
「スクリューを4分の1カットしたケーシング」を取り付けた小型地盤改良機。

ングが出来上がりました。

私は酒井教授とシンエイテックへ向かい、新たに作ったケーシングで掘削を開始しました。

すると、ゴム扉が土と地下水の圧力に押されて、ケーシングの内側へ押し込まれてしまいました。これでは穴を掘ることもできません（写真3−6）。


「これではダメだ。何かいい方法はないか？」

この対策はその場で思いつきました。

「そうだ。『すだれ』のようにすればいい。地中でゴム扉に圧力がかかっても折れ曲がらず、地上では開けることができるだろう。森社長、作れますか？」

「うちは鉄工所です。さすがにゴム扉は作れ

写真3−6　ゴム扉を取り付けたケーシング

ません。でもいつも取引している、知り合いのゴム会社を呼びますよ」

「そうですか。よろしくお願いします」

ひと安心でした。


数日後、シンエイテックでゴム会社の営業担当を紹介してもらい、作りたいゴム製の扉を説明しました。すると、ゴム会社の営業担当は、

「そんな変わったゴムは頼まれたことがありません」

「そうなんですか。でも、作れますか?」

「非常に特殊なものですね。私ではうまく伝えることができません。ゴム工場の責任者を紹介するので、尾鍋さんから直接説明してもらえますか?」

数日後、紹介していただいた愛知県のゴム工場へ向かいました。

そこで、いかにも職人気質の雰囲気がある製作責任者へ、作りたいゴム扉の形や性能を説明しました。すると、ゴムの材質や作業工程などを説明してくれるのですが、専門用語が多くさっぱりわかりません。とにかく一度作って試してみるしかないと思い、「材質などはお任せしますので、私が言っている形のものは作れますか」と聞きました。

「作れますよ」

やっとのことで「すだれのようなゴム扉」を作ってもらえることになりました。

不可能が可能に

それから2週間ほど過ぎた頃、すだれのようなゴム扉を取り付けたケーシングが出来上がりました（写真3－7、3－8）。

そして、試験施工の日が来ました。

その日、試験施工場所であるシンエイテックへ、酒井教授と向かいました。

「これまで、試作と試験施工を何度もやってきたがすべて失敗だった。もし、これでできなければ、どこからでも砕石を投入できるケーシングを開発することは無理なのかもしれない。これが最後の試験施工になるかもしれない」

しかし、できない場合のことは考えないようにしました。

いつものように敷地の舗装を剥がしました。オペレーターは、いつものように内田本部長です。

そして、出来上がったばかりの「すだれのようなゴム扉の付いたケーシング」で掘削を開始しました。

掘削は5メートルの深さまで問題なくできました（写真3－9）。

「すだれのようなゴム扉の効果はあるな」

以前試作した鉄の扉を付けたケーシングでは、ここでケーシングの中へ土と地下水が入り込んでいました。それを確認するために、ケーシングの地上に出ている部分のゴム扉を開けて、ケーシングの中を確認しました。すると、土も水も入っていません。

「大丈夫ですね。土も水も入ってきていません。次はゴム扉を開け、縦長の窓から砕石を入れてください」

写真3－7
すだれ状のゴム扉を取り付けたケーシング。

写真3－8
すだれ状のゴム扉を開けた様子。芯材を入れたため、折れないがひねることはできる。

砕石を入れるために簡単に作った「じょうご」のような装置を使い、砕石をケーシングへ入れました。

「それでは、砕石の締固め作業を始めてください」

砕石を締固める作業を開始しました。

すると、ゴム扉を開けた縦長の窓から砕石を連続して投入しながら、以前決めた砕石の締固め方法で砕石を締固めることができるのです。しかも、一気に地表面まで砕石を締固めることができたのです（写真3－10）。

「できた！」

ついに、世界で初めての砕石の投入方法が完成しました。

２００８年7月7日。新工法の開発を始めてから約1年、私が46歳の夏のことでした。

写真3－9　すだれ状のゴム扉を取り付けたケーシングによる施工状況。

ちょうどこの日は、各国の首脳が集まり、地球温暖化対策などが話し合われた北海道洞爺湖サミットが開催された日でした。

この頃、ふと思ったことがあります。

「この方法は、おそらく世界で初めての方法だ。しかも施工効率は飛躍的に向上する。砕石の投入方法の特許は取得できるだろう。しかし、まだ方法を見つけただけで、今から市場で使える装置として完成させなければいけない。

金融機関はこの工法が世に出るまで、開発資金を融資してくれるのだろうか。万が一、尾鍋組がこの技術を世に出せなくても、きっとほかの誰かが新工法として完成させるのだろう。完成させて市場に出すのは、自社であ

写真3−10　施工が完成した砕石杭(地表面)。

ってほしいが……」

開発資金の確保が、ますます大きな課題になってきました。

第4章

第1号施工代理店と契約

初めての特許出願

「絶対に不可能」と思われていた砕石の投入の仕組みは開発しました。

ただ、この先、ゴム扉だけでもゴムの厚さや硬さ、中に入れる骨の材質、形、取り付け方などを何種類も試作し、強度や耐久性、使いやすさなどを検証していく作業を繰り返さなければなりません。

ゴム扉に最適な寸法や材質を見つけるだけでも、数十回の試作、試験施工を繰り返しました。

それと同時に、この方法を他社に真似されないように、特許を取得しておくことが必要でした。これまで尾鍋組では特許出願の経験がなかったため、酒井教授に相談していました。するとある日、酒井教授から電話がありました。

「新工法の特許のことで、三重ティーエルオーの方が話をしたいと言っています。尾鍋さん、一度会って話してくれますか」

三重ティーエルオーとは、三重大学と民間企業の共同研究や知財に関する支援をしている三重大学系列の組織です。

後日、三重ティーエルオーを訪ね、当時技術移転部長であった杉山氏と面談しました。杉山氏は特許の出願方法や取得する内容について親身にアドバイスをしてくれました。その後は特許事務所との面談にも同席してもらったことで、無事に特許を出願することができました。

杉山氏はその後も特許や商標などの知財に関して、ビジネスにおける効果など多方面からアドバイスをしてくれました。いずれも尾鍋組単独ではとても対応できないことでした。

「エコジオ工法」と命名

特許を出願する頃は、新工法の名前は決まっていませんでした。というよりも、砕石の投入方法を見つけることで頭がいっぱいで、名前を考える余裕などなかったというのが実情です。いつまでも「新工法」と呼ぶわけにもいかないので、特許出願に合わせて名前を考えました。

名前を付けることなど、子どもができたとき以来です。いくつも考えましたが、すでに商標登録されているものばかりでした。

そこで一度、原点に返って考えようと思いました。

キーワードは「環境」と「地盤」です。環境はエコ（ＥＣＯ）、地盤はジオ（ＧＥＯ）、これをつなぎ合わせてエコジオ（ＥＣＯＧＥＯ）はどうだろう。商標登録を確認すると、登録されていません。

「よし、この名前に決めよう」

酒井教授、森社長、そして社内に「環境にやさしい地盤改良ということで、エコジオ工法という名前にしようと思っています。どう思いますか？」と聞いてみると、全員が「それはいい名前だ」と賛成してくれました。

砕石の地盤改良事業へ取り組んで以降、何かをやろうとするたびに周囲から反対されていましたが、「エコジオ工法」という名前については全員が賛同してくれた初めての出来事でした。

1号機が完成

砕石の投入方法開発に続き、砕石をストックしケーシングへ投入するための「ホッパー」の製作にも取りかかりました。

砕石をケーシングへ投入する方法はベルトコンベア方式にしようと考え、知り合いの砕石工場やインターネットでベルトコンベアを作っている会社を調べました。ケーシングの縦長の窓へ砕石を送り込むためには、ベルトコンベアの幅を10センチ程度にすることが必要でした。

しかし、幅10センチの砕石用のベルトコンベアを作る会社は見つけることができなかったのです。

調べていくうちにわかったことは、普通、砕石工場などで使われている砕石用のベルトコンベアの幅は、最低でも50センチより広いものばかりです。私が求める幅の狭いベルトコンベアは、世の中ではニーズがなかったため作られていなかったのです。そのため、これもまたシンエイテックでゼロから作ることになりました。

部品一つひとつの長さ、厚み、材質など、試作しては試験施工を繰り返しました。市場へ出したときにすぐに壊れてしまってはクレームがきてしまいますので、何十回も使ってみて、耐久性を確認していく地道な作業でした。

半年余りこの作業を繰り返し行い、装置の詳細が決まりました。

そして、2009年3月30日、地盤改良機へ開発した装置を取り付け、G社に委託した専用ソフトウェアをインストールした施工管理装置の取り付けが完了し、ついにエコジオ

酒井教授との出会いから、約2年が経過していました。工法第1号機が完成しました（写真4－1）。

写真4－1　完成した「エコジオ工法第1号機」。

公的機関から建築技術性能証明を取得

少し話は戻りますが、1号機の完成の目途が立った頃、エコジオ工法を市場に出すためにやらなければいけないことが2つ残っていました。

1つは、地盤改良の効果を第三者機関に審査してもらい、「建築技術性能証明」を取得すること。

もう1つは、装置を販売したあとですぐに故障しないように、1号機を実際に市場で使い、装置や施工管理システムにトラブルが発生しないかを検証し、トラブルが発生すればそこを改良することでした。

1号機が出来上がるまではそのことにかかりきりで、性能証明へは手が回っていませんでした。しかし、完成の見通しが立った頃には、性能証明を取得する方法について酒井教授と相談していました。

その頃、住宅の地盤改良技術の性能証明を手がけている財団法人日本建築総合試験所（大阪府吹田市）を訪問し、担当者から話を聞きました。そのときわかったことは「これは、自社単独ではかなり時間がかかりそうだ」ということでした。

その後、酒井教授と相談しました。地盤改良の効果を確認することは酒井教授の専門分野のため問題はないのですが、住宅市場で使いやすい性能証明の取得方法などのノウハウはありません。

協議の結果、性能証明を取得した経験のある企業と連携するのがいいだろうということになりました。そこで、施工管理システムを作ってもらったG社の社長に相談すると、地盤改良の専門会社である上場企業のS社（東京）を紹介できるとのことです。私は酒井教授と相談し、S社を訪問することにしました。

2009年3月のある日。新幹線で東京駅へ、そして地下鉄に乗り換えました。

S社が入るビルのエレベーターを降りると、応接室へ通されました。部屋の窓からは東京の景色が一望できました。部屋には社長のほか、技術部長の神村氏、紹介者のG社の社長、私の計4名。最初にエコジオ工法の特長や開発の状況などを説明しました。そして、本題へ。

「エコジオ工法は三重大学との共同研究で開発しています。近々、1号機が完成します。ついては、性能証明を取得したいのですが、その取得に協力していただくことは可能でしょうか？」

すると、技術部長の神村氏が私に聞きました。

「三重大学との共同研究で開発しているとのことですが、先生はどなたですか？」

そんなことを聞くのか？　知っているはずはないのに……と思いましたが、

「三重大学大学院生物資源学研究科の酒井俊典教授です」

「えっ！　酒井先生ですか？」

神村氏の顔が急に変わりました。

「そうです。ご存じですか？」

酒井教授はS社に知り合いはいないと言っていたはずだが……。

「よく存じ上げています。以前、ある研究でご一緒させていただいたことがあります」

東京で初めて訪問した会社で、まさか酒井教授の知り合いの方と出会うとは……。

詳しく聞くと、神村氏は酒井教授が三重大学へ来る前の大学に勤務されていたときに共同研究をしていたことがあったとわかりました。

話が終わりにさしかかったとき、神村氏が「一度、三重までエコジオ工法を見に行きます」と申し出てくれました。

打ち合わせが終わり、応接室を出てエレベーターに乗ろうとしたとき、偶然出くわしたスーツを着た男性をG社の社長が紹介してくれました。

「尾鍋さん、この方がS社の営業部門を統括している中村正則氏です」

「三重県の尾鍋組の尾鍋と申します」

それから4年後に中村氏と偶然再会することになるとは、そのときの私は夢にも思いませんでした。

ビルを出るとすぐに酒井教授に電話しました。

「S社の技術部長の神村真さんという方が、酒井先生のことをよくご存じとのことでしたが、酒井先生はご存じですか？」

「ええ、よく知っています。今、S社にいらっしゃるのですか？」

「はい。それで今度、エコジオ工法を見に来ていただくことになりました」

「そうですか、それは良かった。私も神村さんと久しぶりにお会いするので楽しみです」

酒井教授の口ぶりから、神村氏と良好な関係であることはわかりました。朝、自宅を出るときには、まさかこんな展開が待っているとは夢にも思いませんでした。

2009年4月1日、神村氏がシンエイテックに来てくれました。待っていた酒井教授とは8年ぶりの再会です。

いつものように敷地の舗装を剥がして、エコジオ工法を施工しました。神村氏はいくつか質問をしてから「エコジオ工法のことはわかりました。会社へ戻って性能証明の取得への協力を前向きに進める提案をしてみます」と言って、シンエイテックをあとにしました。

数日後、神村氏から電話がありました。

「S社として、エコジオ工法の性能証明の取得に協力させていただけることになりました。よろしくお願いします」

「ありがとうございます。こちらこそよろしくお願いします」

こんなにうまく話が進んでいいのだろうか。

またしても、人のご縁で助けられました。

S社との性能証明の取得に関する協議が始まりました。

神村氏と私は、性能証明の審査業務を行っている財団法人日本建築総合試験場を訪問しました。そこで必要な試験の内容、規模、審査の方法などを確認しました。

その後、酒井教授を交えて打ち合わせを行いました。やらなければいけないことが概ねわかりました。

性能証明の審査に必要な「載荷試験」では、軟弱な地盤へエコジオ工法を施工し、何十トンもの重さをかけて地面の沈下の大きさを測り、地盤改良の効果を調べるのです（写真4－2）。それを試験場所ごとに何種類ものケースで行うことになったのです。

「このような大規模な載荷試験は初めてだ。しかも1回の試験に数十万円から数百万円かかるだろう。いったい、どれだけの費用が必要になるんだ……簡単に見積もっても少なくとも、数千万円の費用が必要だろう」

A工法への取り組みから考えると、砕石地盤改良への投資額はすでにその頃の尾鍋組の年間売上と同じ3億円程度にまで達していま

写真4－2　砕石による地盤改良の効果を確かめる載荷試験。

した。

この頃になると、社内からも「地盤改良部はいつまで開発をしているんだ」という声が出始め、技術開発の資金を融資してくれている三重信用金庫からは「いつになったら売れるんですか」と言われ始めていました。さらに、社員の給与や資材、外注費用を払うために、私自身の給与も以前の半分以下、会社でかけていた私の生命保険も解約し、社員の給与の支払いなどに使っていたのです。

しかし、ここまできて諦めるわけにはいきません。「背水の陣」という言葉は何度か聞いたことがあり、意味もわかっていたつもりでしたが、まさに自分自身がその状況に追い込まれていました。

「エコジオ工法を市場へ出す」

この道しか残されていなかったのです。

第1号施工代理店との契約

神村氏との出会いから約1年後。無事、エコジオ工法の性能証明を取得することができました。

少し話は戻りますが、S社と性能証明の取得に向けた話し合いをしていた頃、以前取り組んでいたA工法の施工代理店のメンバーが東京で集まることになり、私も参加しました。F社が倒産してからすでに3年以上が経過していました。ほとんどの会社がA工法から撤退しています。席上、久しぶりに再会した川又社長もその一人です。

当時、尾鍋組が新工法を開発していることは公表していませんでしたが、川又社長には三重大学との共同研究で開発に取り組み、すでに1号機が完成したこと、そして今は性能証明の取得に向けて動いていることなどを話しました。

川又社長は興味深そうに私の話を聞いてくれました。

この頃、エコジオ工法の1号機を実際の市場で使い、エコジオ工法の装置や施工管理装置、専用ソフトウェアの課題を改善する作業が残っていました。

エコジオ工法は全国へ展開する計画をしていたこともあり、三重県など関西の土質とは異なる関東の土質でも問題が発生しないかどうかを確認しておくことが必要だったのです。

会合が終わった帰り道、私は考えました。

「川又社長はとても紳士だし、技術面での知識も豊富だ。A工法の施工代理店だったから砕石の地盤改良装置の課題もよくわかっている。関東の実際の市場でエコジオ工法を施工し、装置や施工方法の検証に協力してくれないだろうか」

早速川又社長へ電話しました。

「もしよかったら、エコジオ工法の1号機を見に三重まで来ていただけないでしょうか？」

「いいですよ」

2週間後、川又社長が来てくれました。早速、エコジオ工法の機械と施工状況を見てもらいました。

「いかがですか？」

「よく、こんなにすごい装置を作りましたね。大変だったでしょう。実は私も、砕石の地盤改良技術は今後増えていくと思っています。過去にA工法がダメになったとき、ケーシングを使った砕石の地盤改良技術を開発できないかと考えたことがありました。しかし、ケーシングへ砕石を入れるいい方法が見つけられずに断念しました。それを思うと、このエコジオ工法はすごい技術です」

A工法の課題を知り尽くした川又社長にこのように言ってもらい、それまでの苦労が少し報われた気がしました。

「ありがとうございます。ただ、これは第1号の試作機です。実際の市場で施工したときに、問題がないかどうかはこれから検証しなくてはなりません。もしよろしければ、1号機の課題の検証もしていただく開発協力者として、施工代理店という形をご検討いただけないでしょうか？」

「事情はわかりました。会社へ戻って検討します」

それから数日後、川又社長が再び足を運んでくれました。

「社内での合意も得ました。尾鍋さんが開発した技術なら、私も一緒にやらせていただきます」

この瞬間、世の中で初めてエコジオ工法を導入していただける第1号の施工代理店が決まりました。本当に頭が下がる思いでした。

２００９年12月1日。川又社長が経営する会社と施工代理店契約を締結し、エコジオ工法の施工代理店第1号が誕生したのです。

エコジオ工法の開発に取り組んでから約3年が過ぎようとしていました。

「これから全国展開を本格化するぞ。川又社長の期待に沿えるよう、ＰＲ活動も積極的にしていこう」

気合を入れ直しました。

しかし、それも束の間、なんと初めての施工代理店と契約したその日に、とんでもないFAXが届きました。

『G社が、民事再生の申立て。2009年12月1日』

エコジオ工法の心臓部である施工管理システム全般を作ってもらっているG社からでした。

第5章

さらなる試練を乗り越えて

最大手から「施工管理装置作ります」

『まさか、第1号の施工代理店と契約した日に、施工管理システムを作る会社が民事再生なんて……』

ちょうど4年前にA工法の開発会社であるF社が倒産したときのことを思い出しました。そのときも、A工法の住宅ローン金利優遇で知名度が上がり、大手ハウスメーカーが採用を検討しており、「今からやるぞ」というタイミングでした。

「なぜ『これから』というタイミングでこんなことが起こるのか。もしかしたら、エコジオ工法は世の中に出せない運命なのか……」

そんなことも頭をよぎりました。

G社からFAXが届いた4日後、債権者会議へ出席するために飛行機で新潟へ向かいました。

債権者会議でわかったことは、

「今、G社に依頼しているエコジオ工法の施工管理システムや記録の管理サーバーは、今後、新たな製作や販売ができない。ただ、これまで購入した施工管理システムのメンテナンスだけは他社が引き継ぎ継続する」

ということでした。

新たに製作できないということは、

「このままでは新たにエコジオ工法を世の中に提供することができない。今後、エコジオ工法を世の中に広げるには、もう一度施工管理システムと記録を管理するための仕組みを構築しなければいけない」

ということでした。

施工管理システムの開発は、1年半前の振り出しに戻ってしまったのです。


「必死の思いでここまでたどり着いたのに、そして第1号の施工代理店と契約したところなのに。再び施工管理システムを製作してくれる会社を探すところから始めなければいけないのか。また開発費用も必要になる。しかし起きてしまったことはどうすることもできない。明日は我が身かもしれない。今はG社の社長が最も大変だろう。これも運命だ」

そう自分に言い聞かせましたが、それまで開発してきたさまざまな出来事が思い出され、このときのショックはそれまでで最大でした。

債権者会議の帰り道、新潟空港のロビーで一人飛行機を待っている間、一気に疲れが出ました。

ただ、落ち込んでばかりもいられません。金融機関に事情を説明し、開発資金を確保しなければなりません。そして施工管理システムを作ってくれる新たな会社を探さなければなりません。

酒井教授にも相談し、思いつく限りの手を打ちましたが、施工管理システムを作ってくれる会社は見つかりません。

解決策が見つからないまま、2か月が過ぎようとしていました。

「このままでは、今後エコジオ工法を世の中に出すことができない。施工管理装置まで尾鍋組で開発することはとても難しい。仮に作るとしても費用も時間も膨大になる」

私は、そのとき残されていた最後の手段をとることにしました。

以前、製作を依頼して断られた日本車輌に、もう一度頼むことにしたのです。

「あのときは新工法の開発中だったが、今はエコジオ工法が完成している。すでに日本車輌のスタッフもエコジオ工法を施工するための装置や施工機を見ている。もしエコジオ工法の将来性を感じてくれるなら、施工管理システムを作ってくれるかもしれない。ダメでもともとだ」

私は日本車輌の担当者へ電話をしました。

「尾鍋組ですが、エコジオ工法の施工管理システムを製作しているG社が民事再生の手続きを開始しました。そのため、今後エコジオ工法の施工管理システムを作ってもらうことができなくなりました。このままでは、今後エコジオ工法を世の中に出すことができません。

エコジオ工法は、これからの社会に必要な技術だと思って開発しました。日本車輌さんの純正の施工管理装置にインストールできるエコジオ工法専用のソフトウェアを作っていただきたい。以前一度断られたことですが、再度ご検討いただけないでしょうか」

「事情はわかりました。社内で検討します」

数日後、日本車輌から電話が入りました。

「ご依頼の件、エコジオ工法専用のソフトウエアを作ります」

思いもよらない返事でした。以前頼んだと

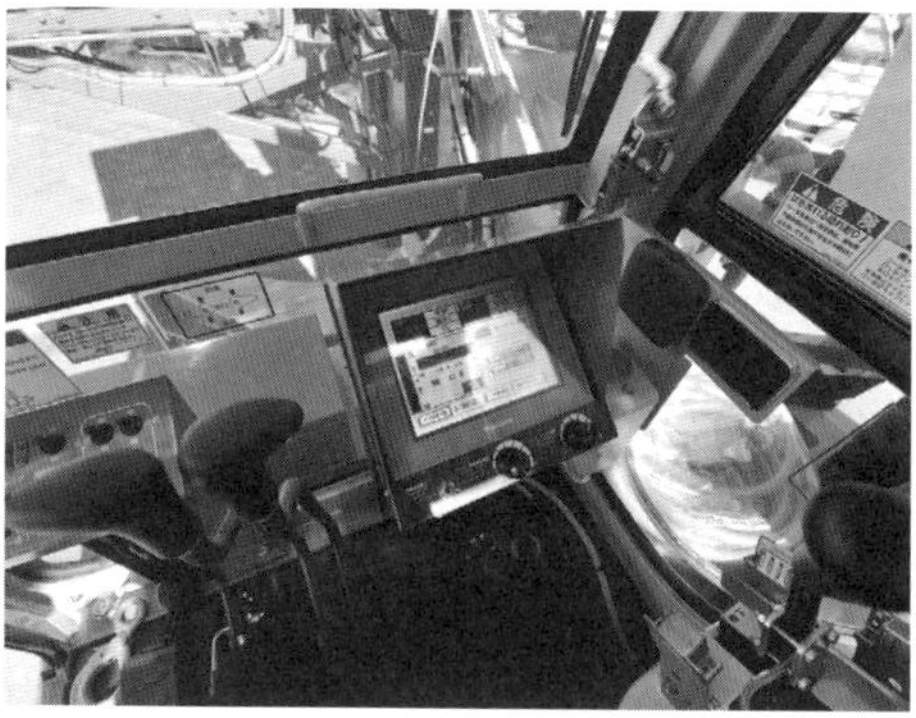

写真5－1　エコジオ工法の専用ソフトを組み込んだ日本車輌製の施工管理装置。

きは「前例がない」と断られており、半分諦めていたからです。

その後、日本車輌の担当者と三重大学で酒井教授も交えて打ち合わせを行い、施工管理システムの目途が立ちました。しかし、施工記録を管理するサーバーを使ったクラウドシステムは日本車輌で作ることはできないことがわかりました。そこでクラウドシステムを作る会社を紹介してもらい、その会社へ依頼しました。

それから数か月、施工管理システムと記録を保管するクラウドシステムが出来上がりました（写真5－1）。

G社から民事再生のＦＡＸが届いてから、1年が過ぎようとしていました。

エコジオ工法協会を設立

日本車輌の施工管理システムが出来上がる頃、川又社長が経営する会社に続いてS社との施工代理店契約も締結しました。これでエコジオ工法を施工できる企業は、尾鍋組を含め3社になりました。

建設に関係する独自技術を使った工法を社会に広めていくために、技術開発した会社やその関係者、施工業者、機械メーカーなどで「工法協会」がよく作られます。

私もこのとき、エコジオ工法協会を作ろうと考えました。

それは、この工法を世の中に提供していく上で考え方や進むべき方向を関係者全員が共有していることが重要と考えたからです。エコジオ工法協会の理念、基本方針は次の通りです。

理念

環境負荷の少ない地盤改良技術により、安心して生活できる、安全な住環境を創造する。

基本方針

- 環境　地球環境の保全に貢献する。
- 品質　安定した品質により、顧客の資産価値の保全に貢献する。
- 経済　社会的地位・認知度の向上により、関連する全事業者の経済的発展に貢献する。

基本方針は、買い手よし、売り手よし、世間よしの三方よしを目指しました。

買い手である施主さまや発注者は、土地の価値を守ることができる品質の安定した地盤改良工事を購入できる。

売り手であるエコジオ工法に関連する事業者は、適正な収益を確保して事業を継続、発展させることができる。

そして世間としては、地中には自然石の砕石しか残さず、CO_2の排出量も少ないため、地球環境の保全に貢献できる。

基本方針には、このような意味が込められています。


エコジオ工法施工代理店2社と、酒井教授、三重ティーエルオー、シンエイテックの森社長、地盤改良機メーカー、そして尾鍋組のスタッフで、エコジオ工法協会の設立総会を行いました（写真5－2）。人数も少ないので、場所は三重県松阪市内の寿司屋の2階で開催しました。

施工企業はたった3社にもかかわらず、

「みんなで、新しい風を地盤改良業界に吹き

写真5－2　エコジオ工法協会の設立総会。

込みましょう」

そんなことを言いながら、大いに盛り上がりました。

これからエコジオ工法を世の中へ送り出していく仲間ができたことが感慨深く、A工法に取り組んだときのこと、開発を決断したときのこと、ここにたどり着くまでのさまざまな出来事が走馬灯のように思い出されました。

２０１０年12月4日、エコジオ工法の開発に取り組んでから4年。２００３年に地盤改良業界へ参入し、A工法に取り組んだときから考えると、すでに7年が経過していました。

技術開発とは別の「新しい壁」

エコジオ工法協会の設立総会も無事終わり、新しい年を迎えた２０１１年。この頃、新たな課題が浮かび上がってきました。

今後、施工代理店を増やしていくに当たってのルールづくりや、契約関係書類の作成、集客方法、そのためのチラシづくりなど、技術開発とはまったく異なることでした。

施工代理店へは、尾鍋組からエコジオ工法の装置と施工管理システム、設計、施工に関するノウハウを提供します。わかりやすく言えば、地盤改良工法のフランチャイズです。この仕組みを構築することが必要だったのです。

当然、尾鍋組にはそのようなノウハウも経験もありませんでした。


フランチャイズといえば思いつくのはコンビニや飲食店ですが、「このような仕組みは誰が作っているのだろう。このようなことをアドバイスしてくれる人はいるのだろうか」と思いながら三重県産業支援センターや知り合いの経営コンサルタントなどにも相談しましたが、なかなか見つかりませんでした。

そこで、インターネットで調べてみると、フランチャイズシステムの構築を支援する会社が数社見つかりました。すべて所在地は東京です。

食品関係のフランチャイズを支援する会社が多い中、唯一、建設技術のフランチャイズ支援の実績があるＡＱ社を見つけました。

「よし、この会社の話を聞いてみよう」

ＡＱ社に電話をして面談を申し込み、２０１１年5月のある日、ＡＱ社の社長と面談することになりました。

当日、待ち合わせ場所である東京駅構内のスターバックスへ行くと、ＡＱ社の社長が待っていました。名刺交換をしたあと、エコジオ工法のこれまでの経緯やそのときの尾鍋組の状況を説明しました。

社長は全国へ事業を広げていくときにやるべきこと、ＡＱ社として尾鍋組を支援できる内容を丁寧に説明してくれました。

『ＡＱ社なら、今やろうとしていることを支援してもらえるに違いない』

そう思いました。

「このエコジオ工法を、今後全国へ広げていきたいと考えています。ついては、その施工代理店システムの構築の支援をしていただきたい」

「わかりました。支援させていただきます」

これで、施工代理店システムの構築の目途が立ちました。

まずは、事業モデルの構築から始まり、施工代理店契約書の作成、集客の具体的な方法、

写真5－3　エコジオ工法の施工見学会の様子。

ダイレクトメールの作り方、事業説明会、施工見学会の開催方法などのアドバイスを受けました。

その後、東京や大阪などでのエコジオ工法事業説明会や三重県、茨城県で施工見学会を何度か開催しました（写真5―3）。AQ社のコンサルティングの効果もあり、その年の暮れには施工代理店は10社程度にまでなっていました。

別の大手地盤改良機メーカーからのオファー

これまで、エコジオ工法の開発は日本車輌と行ってきました。

ところがAQ社のコンサルティングでエコジオ工法事業説明会を開催し始めた頃、ある大手地盤改良機メーカーから電話がありました。九州の佐賀県唐津市に本社を置くワイビーエムです。

担当者曰く「ワイビーエムの小型地盤改良機でも、エコジオ工法を施工できるようにしたい」とのこと。まだ施工代理店が数社しかない時点で、私はまさか地盤改良機メーカー側から声がかかるとは思っていませんでした。

住宅の地盤改良で使う小型地盤改良機の国内市場のシェアでは、日本車輌とワイビーエムの2社で90パーセント程度を占めています。いわば、国内の小型地盤改良機メーカーのツートップです。

尾鍋組としては願ってもない話ではありましたが、小型地盤改良機の市場では日本車輌とワイビーエムはライバル関係にあります。

これまで協力してくれている日本車輌に了解を得ておくべきだと考え、その場では「話は伺いましたが、これまで開発してきた経緯があります。後程お返事します」と伝えました。

その後、酒井教授を含めエコジオ工法の開発関係者と相談し、日本車輌へ事情を話しました。すると、日本車輌からは「いいですよ」と快諾いただきました。「さすがに国内最大の地盤改良機メーカーだな」と懐の深さに感謝しました。

そうして、地盤改良機とエコジオ装置の接続部分、施工管理のソフトウェアなどを作り、約1年後にワイビーエムの地盤改良機へもエコジオ工法のアタッチメントを取り付け、施工ができることになりました。

これでついに、国内の小型地盤改良機の市場のおよそ9割を占める2社と連携することになったのです。

土を出さずに穴を掘れないか？

エコジオ工法は、地面に穴を掘り、その穴へ砕石を詰め込む工法です。穴を掘れば当然、土が地上へ出ます。

工事現場では、この土を現場から運び出して処分する必要があります。そんなとき、エコジオ工法を見たある人から、こんなことを言われました。

「エコジオ工法は土が出ますよね。特に都会では、この土の処理が大変なんですよ。土を地上に出さずに穴を掘れるといいんだけどな」

「この人はなんてことを言うんだ。土を出さずに穴を掘るなんて、できるわけがないだろう」

そのときは、そう思いました。

しかし同時に、「自分もこれまで森社長に同じような無理難題を何度もふっかけたな。それでも森社長は、ノーと言わず最後は希望する形の装置を作ってくれたな」とも思いました。

その後、折に触れてそのことを思い出しました。

「穴を掘れば土が出るのは常識だと思っている。しかし、土を出さずに穴を掘ることはできないと証明されているわけではない。もしかしたら、私も含めてみんなが不可能と思っているだけかもしれない。ダメでもともとだ。一度試してみよう」

そう考え始めたのです。

エコジオ工法は掘削するときに、ケーシングの周囲にあるスクリューによって、土が地上へ掻き出されます。

「土を出さないように、土を掻き出すスクリューを取り外してしまったらどうなるのか……（図5－1）。穴は掘れるのだろうか？」

２０１２年7月初旬、私は考えていることを森社長に話しました。

「今のケーシングに付いているスクリューを、すべて切り取ってほしい」

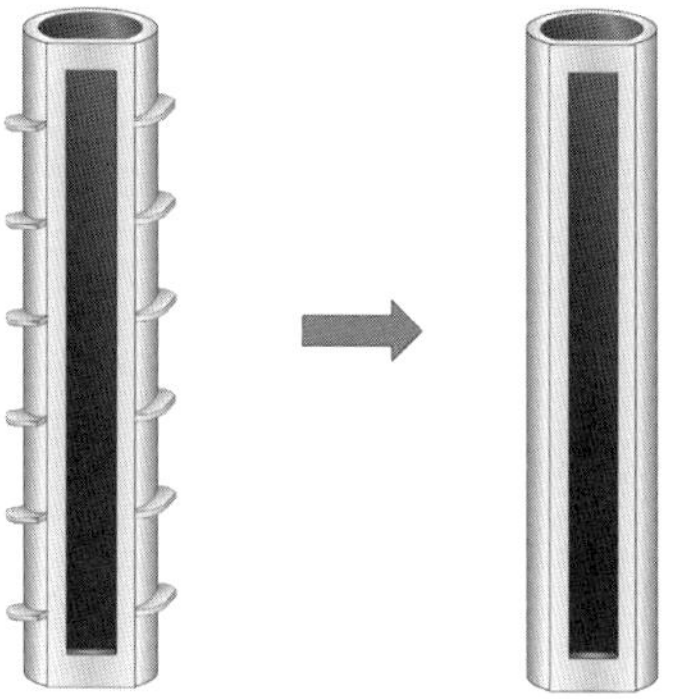

図5－1　土を掻き出すためのスクリューを切り落とす

「尾鍋さん、今度は何を考えてるんですか？」

「スクリューがないケーシングで、穴が掘れるかを確かめようと思います」

エコジオ工法の開発も一段落し、ほっとひと息のところへまた非常識な話を持ち込んだものですから、森社長はあきれ顔です。

正直、私もそのときはうまくいくとは思っていませんでした。

「とにかく、スクリューを切り落としてください」

そう言って、すでにスクリューが付いているケーシングからすべてのスクリューを切り落としてもらいました。一見すると「ただの鉄の筒」のような、スクリューのないケーシングが出来上がりました（写真5－4）。

写真5－4　スクリューを切り落としたケーシング。

土を出さない「エコジオZERO」誕生

２０１２年7月20日、試験施工の日が来ました。

酒井教授と私、そしてオペレーターはいつものように内田本部長です。

地盤改良機へスクリューを切り落としたケーシングを取り付けました。そして、スクリューなしのケーシングを回転させながら地面の中へ掘り進めていきます（写真5－5）。

スクリューもないただの鉄の筒なので土は地上へは出てきませんが、ケーシングは地中へ入っていくのです。ケーシングで穴を掘るというよりも、ケーシングを回転させながら地面へ挿入するという表現が合っているかもしれません。

「1メートルくらいまでなら掘れるかな？」

そんなことを考えながら見ていると、スクリューの付いていないケーシングはそのまま地面の中へ2メートル、3メートルと掘り進んでいくではありませんか。さすがに我が目を疑いました。

「どこまで入るんだろう」と掘削を続けると、ケーシングは地中5メートルの最後まで、すっぽりと入ってしまったのです。

最も驚いたのは、これまで土を専門に研究してきた酒井教授でした。

「尾鍋さん、土はいったいどこへ行ったんでしょうね……」

私は「もしかしたらケーシングの一番下部から、中へ入ってきたかも」と思いました。そこで、ゴム扉を開けてケーシングの中を確認しましたが、土も水も入っていません。

「土を出さずに穴が掘れた。なんということだろうか……」

長く土木業界で生きてきた私にも信じられない、初めての出来事でした。

土はケーシングの周りに押し付けられていたのです。

この試験施工の前は、私も「穴を掘るには

写真5−5　スクリューを切り落としたケーシングでの初の試験施工。

土を掻き出すためのスクリューが必要」と思い込んでいました。土木業界に携わっている間に刷り込まれた〝常識〟があったからです。しかし、そんな考えは現実の前にあっさりと覆されたのです。

スクリューのないケーシングは土砂を地上に排出しません。そればかりか、施工時間も通常のエコジオ工法より短縮できることがわかりました。

この実験で、土を出さずに施工できることはわかりましたが、それだけでは市場で使うことはできません。その後、スクリューの付いていないケーシングの詳細な設計と試作、試験施工を繰り返し、性能証明の取得に向けて動き始めました。

この土を出さないエコジオ工法を「エコジオZERO」と名付けました。

施工代理店がエコジオ工法の営業活動で苦戦

土が出ないエコジオZEROを開発し、性能証明を取るために実験をしていた頃、まったく別の大きな問題が浮上していました。

当時、施工代理店は10社程度まで増えていたのですが、施工代理店がエコジオ工法の営業活動や販売で苦戦していたのです。この頃、施工代理店へは設計方法、施工方法を研修で教えていたのですが、営業方法を教えることはできなかったのです。

「施工代理店がエコジオ工法の販売で収益を上げなければ、施工代理店も尾鍋組も事業を継続することが難しくなる。このままではダメだ」

過去にF社の施工代理店だった尾鍋組が、A工法を思うように売れなかった頃のことが思い出されました。


「この問題を解決するには施工代理店へ営業方法を教えることが必要だ。しかし、尾鍋組ではとても営業方法を教えるノウハウはない。誰か、住宅の地盤改良の営業方法を教えてくれる人はいないのか……」

私は、再び三重県産業支援センターや知り合いのコンサルタント、フランチャイズコンサルタントのAQ社にも相談しましたが、住宅の地盤改良という非常にニッチな分野ということもあり、営業方法を教えてくれる人を見つけることはできませんでした。

「そもそも、住宅の地盤改良工事の営業方法を教えることができる人なんて、日本中探してもいないのではないか。これでは新たに施工代理店を作っても、事業として継続することは難しくなる。ここまでたどりついたのに、収益事業として成立しなければ……A工法と同じ運命か……これからどうすればいいのか……」

解決策が見つからない日々が続きました。

そんなある日、営業に関するセミナーのメールDMが届きました。

「中村正則？ 4年前、S社へ初めて訪問した帰り際に、エレベーターホールの前で名刺交

「営業組織の新体制で売れる営業組織をつくる」
セミナーのご案内

※例えば、このようなお悩みをお持ちではありませんか?

・既存の商品・サービスの売上・利益をさらに伸ばしていきたい
・新体制のもと、新しい商品・サービスを展開していきたい
・営業の在り方自体を見直して、効率化させていきたい

[講師]
第1部
きらりソリューションズ株式会社
代表取締役社長 中村 正則
第2部
株式会社●● 代表取締役 ●●●●

[会場、時間]
日程:2013年4月24日(水)14:00〜16:00
会場:株式会社●●●● セミナールーム
東京都新宿区西新宿 ●●ビル

届いたメールDMの内容(抜粋)

換をしたS社の中村正則氏か……。もし、その中村氏ならS社の営業統括としてS社の上場に貢献し、住宅の地盤改良業界のど真ん中で活躍していた人だ」

実はこのセミナー開催日の前日、4月23日は、関東の市場で初めてエコジオZEROを施工する日で、私は立ち会うために関東へ行くことになっていました。翌24日は三重に帰るため、何も予定を入れていなかったのです。

『エコジオ事業の営業面での課題を解決するヒントが見つかるかもしれない。このセミナーに参加してみよう』

エコジオZERO　市場での初施工

セミナー前日の4月23日。私はエコジオZEROの市場での初施工に立ち会うために、関東の現場に向かいました。施工するのは第1号施工代理店の川又社長の会社です。朝の準備が30分ほどで終わり、施工が始まりました（写真5－6）。

試験施工の通り、掘削しても土がまったく出てきません。

「これは、現場がきれいでいいですね」

川又社長が言いました。

施工も早くできるようです。私はもっと早くできないかと思い、オペレーターに聞きました。

「もっと、施工を早くできる？」

「できますよ」

すると、これまで土を出して施工していたときとは比べものにならないスピードで施工できます。

「これはすごい」

川又社長も驚いていました。

「これなら施工時間を大幅に短縮することができる。施工代理店も住宅会社も施主さまも、みんなに喜んでもらえる」

その現場は、施工するために2日間を予定していたのですが、1日で完了しました。

川又社長からは「これはすごいですね。残

写真5－6　土を出さないエコジオZEROの初施工。

土が出ないので現場がきれいで施工時間も大幅に短縮できます。さらに、地中には砕石しか残さない。これこそ究極の環境配慮型の地盤改良技術です。これからは、このエコジオZEROが主流になると思いますね」と言われました。

私自身も、これほど施工スピードが速いとは思ってもいませんでした。

現場での初施工が終わり、私は翌日の営業セミナーもあるため、東京都内のホテルへ向かいました。

4年ぶりの再会

営業セミナー当日。私は新宿駅の近くで昼食をとり、セミナー会場へ向かいました。

セミナー開始の30分ほど前に会場に着き、席に座っていると、一人の男性が挨拶に来てくれました。私は、ひと目見た瞬間にその男性がS社にいた中村正則氏であることがわかりました。

「三重県から来ました。尾鍋組の尾鍋です。よろしくお願いします」

「本日、講師をさせていただく、きらりソリューションズの中村です。よろしくお願いします」

「ご無沙汰しています。砕石の地盤改良のことでS社にお世話になっています。4年前、私がS社へ伺ったとき、エレベーターの前で名刺交換させていただきました」

私が言うと、しばらく考え、

「ああ、あの砕石を使った工法の？　思い出しました。お久しぶりです」

4年ぶりの再会でした。

中村氏は、私とエレベーターの前で名刺交換してしばらくしてからS社を退社し、営業支援会社を自ら立ち上げ、千葉県浦安市に事務所を構え、主に建設関連の会社の営業支援をしているとのことでした。

尾鍋組からのセミナー申し込みを受けたときに、中村氏を含めた主催者同士で「三重県の尾鍋組？　聞いたことないけど、誰の知り合いなの？」という話をしていたそうです。過去に名刺交換した方々のアドレスへ送ったために、私へメールDMが届いたということでした。

もしも、4年前にエレベーターの前で出会っていなかったら、名刺交換していなかったら、この再会もなかったことになります。

営業セミナーが始まりました。それまでもいろいろな営業セミナーに参加したことはあり、中には営業経験のない講師が営業コンサルタントとして机上の空論のような営業の理論を並べているセミナーもあります。

ところが、中村氏のセミナーは、現場の実情を踏まえて非常に実践的で理にかなっており、過去に参加したどの営業セミナーとも比べものにならないほどの衝撃的な内容でした。

「中村氏ならエコジオ工法施工代理店の営業活動を強力に支援することができる」

そう確信しました。

セミナーが終わり、私は中村氏と喫茶店で話しました。そこで、エコジオ工法の開発の状況、施工代理店がエコジオ工法を思うように売れない状況を話しました。そして、エコジオ事業への営業面での支援を依頼しました。

「一度、尾鍋組までエコジオ工法を見に行きます」

施工代理店への営業研修を開始

それから約2週間後、中村氏は三重県まで来てくれました。私は松阪駅へ迎えに行き、車で50分ほど走り尾鍋組へ到着しました。地盤部部長の濱口を紹介し、尾鍋組が保有する空き地でエコジオ工法とエコジオZERO工法の施工を見てもらいました。

「すごい」

東京のど真ん中で活躍している、住宅の地盤改良業界を知り尽くした中村氏のひと言でした。

その日の夜、会社の近くの居酒屋で食事をしながら、A工法に取り組んだ経緯、エコジオ工法の開発を決断したときの思い、酒井教授や森社長が夜も休日もなく協力してくれたこと、これからの社会には必要な技術だと思っていること、施工代理店がエコジオ工法の営業活動で苦戦している現状などを話しました。

数日後、中村氏から連絡がありました。

「尾鍋組のエコジオ事業に協力させていただきます」

「ありがとうございます。よろしくお願いします」

その後、エコジオ事業部の仕組みづくりから始まり、施工代理店への営業研修などを開始しました。ちょうど、エコジオZEROが完成したことも重なり、その後、エコジオ工法は急速に施工数を伸ばし始めました。

それから1年後の2014年には、1年間での全国の施工実績は1000件以上となり、施工代理店も30事業所を超えました。

エコジオ工法の開発を始めてから、約7年が経過していました。

あとで聞いた話ですが、中村氏は尾鍋組の営業支援をするべきかどうか迷ったそうです。尾鍋組は三重県であり千葉県浦安市から時間がかかるとともに、フランチャイズ本部の位置づけの尾鍋組を支援するとなると相当な時間と神経を使います。そのため、中村氏に営業支援を依頼するほかのクライアントをある程度は断らなければならないからでした。

尾鍋組への支援を決める前に、中村氏がある実業家の方に相談したところ、次のように言われたそうです。

「エコジオ工法はこれからの世の中、社会にとって正義なんだろ。それなら君の得意の営業ノウハウを使って全力で支援する価値があるんじゃないか」

この話を聞いたとき、今までやってきたことが間違いではなかったと、少し自信を持つことができました。

東京ビッグサイトでエコジオ地盤改良機を展示

２０１４年、「第１回地盤改良技術展」の事務局から出展の案内が届きました。開催場所は、東京国際展示場（東京ビッグサイト）です。

「よし、これに出展しよう」

２０１４年の10月15〜17日の３日間、「第１回地盤改良技術展」へエコジオ改良機を出展することにしたのです。この技術展はフジサンケイビジネスアイ（日本工業新聞社）が主催していました。

数ある地盤改良工法・各種基礎工法のほか、地震・豪雨などの自然災害を防止、軽減する技術などを一堂に集め、地盤に関連する新たな技術開発の成果を展示し、多くの関係者に知ってもらうというものです。そこに私たちのエコジオ工法にもお声がかかったというわけです。

ずらりと並んだブースには、大企業はもちろん、業界に詳しくない人でもすぐにわかるような上場企業が展示しています。その中に、三重県の田舎の土建屋「尾鍋組」が並びました（写真5－7）。

「ついに、ここまで来ることができた」と、さすがに感慨深いものがありました。

エコジオ工法の地盤改良機の実物を展示する尾鍋組のブースに来てくれた方の中に、約6年前、エコジオ工法を開発中の頃、施工管理システムの製作を問い合わせた東京の会社の方がいました。

「あのとき施工管理装置の相談の電話をもらった件が、まさかこのような形になるとは……」

ポツリと呟いてくださった言葉が、まさに私たちがやってきた事業への客観的な称賛だったと思います。

さらに2015年の7月にはNHKの夕方の番組『ほっとイブニングみえ』でもエコ

写真5－7
東京ビッグサイトで開催された
「第1回地盤改良技術展」へ出展（2014年10月）。

ジオ工法が取り上げられました。

これもひょんなことがきっかけでした。同年の4月に三重大学で新しい学長が就任した際の記者懇談会にて、三重大学が行う共同研究の成功事例としてエコジオ工法を発表してくれたのです。プレゼンテーションは、酒井教授が担当していたのですが、その場に偶然居合わせたNHKの記者が興味を持ち、取材してくれたのです（写真5－8）。

「もし途中で諦めていたら、NHKから取材されることもなかったな」

エコジオ工法の開発に取り組んでから8年が経過していました。

写真5－8　NHK「ほっとイブニングみえ」の取材風景。

第6章

持続可能な社会を目指して

ここまでで、私が17年にわたって取り組んできた新工法の開発ストーリーはいったん、筆を擱《お》きます。

最後は、地盤改良工事の品質や経済性、土地の価値への影響やエコジオ工法がこれまで採用された実績、施主様からいただいたメールなどについてお話しします。

安定した品質と経済性の両立

私がエコジオ工法を開発する上で目指したのは、安定した品質と経済性の両立、すなわち「いかに品質の安定した工事を、いかに経済的に提供できるか」ということです。

まずは、最も重要な工事の品質です。

エコジオ工法では、掘った穴の崩壊を防ぐためにケーシングを使いました。工事の途中で掘った穴が崩れると、地面の中で穴が大きな壺のようになってしまい、設計の深さまで穴が掘れなかったり、砕石に軟弱な土が混ざってしまいます。こうなると地面を強くするどころか、逆に弱くなってしまう可能性さえあります。これを防ぐことが最も重要だと考えたからです。

そして、砕石の締固めの強さにバラツキが出ないように、深さ10センチごとに同じ圧力で締固めることにしました。砕石の地盤改良工事は、固い杭で支えるわけではないので、ほかの工法と比べ現場での施工方法が品質に大きく影響します。この締固め方法を開発したことにより、誰が施工しても砕石を一定の強さで締固めることができるようになりました。

さらに、10センチごとの締固め圧力を数字で記録し、その施工記録を暗号化しクラウドシステムにより一括で保管できるようにしました。その結果、施工記録を見れば、品質がひと目でわかるようになり、施工記録の改ざんができなくなりました。

そして、経済性です。

ケーシングへ砕石を連続して投入する方法の開発により、最も重要な課題であった施工にかかる時間を大幅に短縮しました。

また、現場や地盤の状況にもよりますが、土を出さずに施工できるエコジオZEROを開発しました。これにより、残土処分も不要となり、施工時間も短縮され、今では全体の約8割が土の出ないエコジオZEROで施工されています。

さらに、砕石の設計長を決めるための独自の計算式を用いる設計基準を確立しました。

従来工法では家を固形物で支えるため、家の重さの多くが杭の一番下へ伝わり固い地層まで施工することが必要になります。それに比べ、エコジオ工法はバラバラの砕石を地中に円柱状に詰め込んだ状態です。何度も行った載荷試験により、エコジオ工法では砕石の一番下に家の重さの多くが伝わることはなく、地盤によっても支えられることがわかったので、この知見を組み込んだ独自の設計基準を作りました。その結果、地盤条件にもよりますが、設計深さが従来工法の半分以下になることもあります（図６－１）。

以上のように、効率的な砕石の投入方法の開発、残土の出ない施工の実現、経済的な設計基準の確立により、従来行われている柱状改良工法や鋼管工法と同程度かそれよりも短い時間で施工できるようになりました。住宅

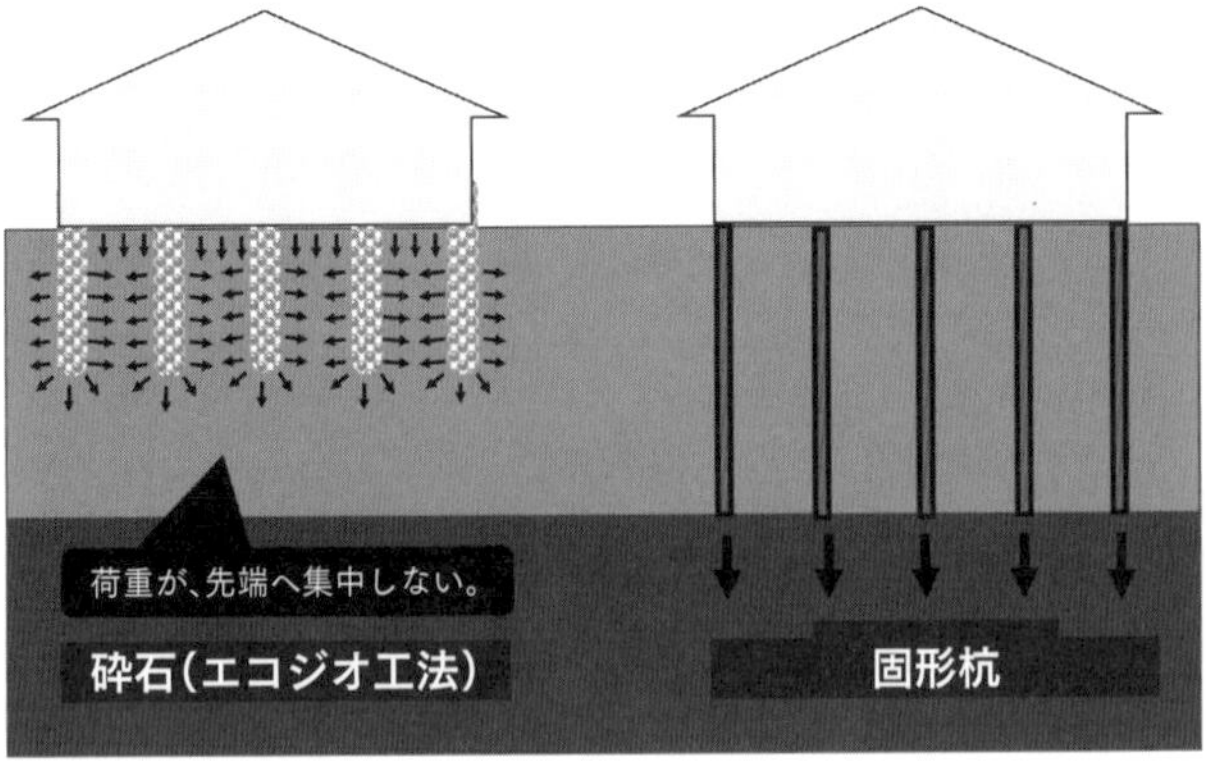

図6－1　家の重さの伝わり方のイメージ

の地盤改良工事の場合、現場によっては半日程度で施工を完了することもあります。

これらの取り組みにより、エコジオ工法の開発に着手した2007年当時には解決の方法さえわかっていなかった品質と経済性に関する課題を、すべて解決することができたのです（表6－1）。

	A工法の課題	エコジオ工法での対策
①施工の費用	高額なA工法専用の地盤改良機	従来工法で使われている 小型地盤改良機(機種による)へ エコジオ工法用の アタッチメントを取り付け
	施工にかかる日数が多い (3～5日程度)	施工日数を短縮(1～2日程度) ●砕石を連続投入できるケーシングの開発 ●土を出さない施工方法の開発 ●設計基準の合理化
②品質	掘削した穴が崩れる可能性	ケーシング(鉄の筒)を使用し、崩壊を防ぐ
	砕石を均一に詰め込めない	層厚10㎝ごとに同じ圧力で 締固める方法を開発
③施工の記録	品質がわかりにくい	層厚10㎝ごとに砕石を 締固めた圧力を記録
	改ざんができる	施工記録を暗号化、 クラウドシステムを採用

表6－1　A工法の課題と、エコジオ工法での対策

エコジオ工法による土地の価値への影響

土地は、個人、法人の大切な資産です。その土地の価格を求めるための基準としては、「不動産鑑定評価基準（国土交通省）」がありますが、実際に価格を決めるのは市場における当事者です。土地を売買する場合、売り主は「できる限り高く売りたい」と考えます。買い主は「できる限り安く買いたい」と考えます。このやりとりの中で、価格は決まっていくのです。

住宅の地盤改良工事は、大切なお家を守るための重要な工事です。ただ、何十年後かには建て替えの時期を迎えます。また、土地を売ることもあるかもしれません。そのとき仮に土壌が汚染されていたり地中にモノが埋まっていたりすれば、その浄化費用、撤去費用などが土地の価格へ影響する可能性があります。

エコジオ工法で使用する材料は砕石のため、地中に残るのは砕石だけです。２０１８年9月には、土地の価値の評価を専門的に行う不動産鑑定事務所の協力を得ながら、三重大学と尾鍋組の共同研究として、土地の価値への影響を確認する実験を行いました。

実験は、エコジオ工法により地中に残る砕石が、新たな土地利用に支障を来すか否かを確認するため、エコジオ工法を施工した地盤に柱状改良と鋼管を施工しました。その結果、地中に砕石が埋まっていても柱状改良や鋼管の施工への支障はなく、通常の地盤へ施工する場合と同程度以上の品質、強度が確保できることを確かめました（写真6－1）。そして、この実験結果を2019年7月の地盤工学会研究発表会で発表しました。

また実験をもとに、エコジオ工法が土地の価値へ与える影響を不動産鑑定士に検討してもらい、「土地の価値を下落させる可能性は低い」と判断されました。

不動産鑑定評価の報告書の内容（抜粋）

写真6－1
エコジオ工法による土地の価値への影響の実験。
エコジオ工法、柱状改良、鋼管を掘り出している様子。

エコジオ工法により施工された柱状砕石補強体が地中に残置している状態でも、新たな土地利用（建物の建築等）の支障になることはなく、地価を下落させる要因となる可能性は低い。

施主さまが気づいていない「土地の価値への影響」

住宅を建てるとき、もともとの地盤が強く、改良工事をしなくても建てられるのが一番いいことは言うまでもありません。しかし、地盤調査の結果、弱かった場合は地盤改良工事を行う必要があります。

施主さまや住宅会社さまから、「どの地盤改良工法が一番強いのか」と聞かれることがあります。これについては、どの工法も住宅の不等沈下（傾き）を防ぐことを目的としてそれぞれの工法の設計基準に基づき仕様を決めるので、工法による性能の差はありません。

まずどの地盤改良工法がその地盤で使えるのか、そして適しているのかを考え、次にその地盤で使える工法ごとの特長や価値の違いと経済性を見比べて決めるのがいいと思います。

エコジオ工法は、従来工法のようにセメント系固化材や鋼管を使わず、砕石だけで施工します。そのため、傾斜地や造成工事で盛土した直後の宅地などの軟弱すぎる地盤では使えない場合もあり、そのような地盤ではエコジオ工法よりも従来の柱状改良や鋼管が適していることがあります。

一方、従来の工法で使用する材料セメント系固化材や鋼管と比べ、エコジオ工法で使用する砕石は生産段階におけるＣＯ２の排出量が少なく、地中に砕石しか残さないため環境への負荷が少ない技術です。また、土地の価値を下落させる可能性が低いことが特長です。

しかし、工法ごとに土地の価値への影響など「価値の違い」があることは、あまり知られていません。

例えば、床の材料を選ぶ場合、「天然の木」と「合板」の価格には差がありますが、お客さまは住宅会社からの説明を受け「価格」と「価値」の違いを比較してどちらを使うのかを決めると思います。

しかし、地盤改良工事の場合は「価格」だけで判断されることが多いのです。それは、地盤改良工事を選ぶときには、環境や土地の価値への影響など、それぞれの地盤改良工法の「価値の違い」が、施主さまへほとんど伝えられていないからです。

私は、エコジオ工法はこれからの社会に必要な技術だと信じて開発してきましたが、どの地盤改良工法を使うのかを決めるのは、私たちではなく、土地の所有者である施主さまです。そして、施主さまへ地盤改良工事を提案するのは、住宅会社、設計事務所です。

すでにエコジオ工法を採用していただいている住宅会社、設計事務所の多くは、施主さまへ地盤改良工事の価値の違いを伝えています。また、法律事務所も、施主さまへの提案においては「地盤改良工法の選択肢と、それぞれの内容やリスクなどを提案すること」を推奨しています。

現在、多くの住宅会社、企業が地球環境への配慮をＰＲしています。エコジオ工法がすべての地盤で使えるわけではありませんが、施主さまのために、地盤改良工法の選択肢と共に「価値の違い」を説明していただける住宅会社、設計事務所が増えていくことを願っています。

借地に建てるコンビニへの採用が増加

最近、エコジオ工法は住宅の地盤改良以外の用途にも使われ始めています。建築分野では、保育園、介護施設などの比較的面積の広い建物や、将来撤去が求められる「借地」に建設する商業施設などでも使われています。

コンビニなどは、その多くが土地を一定期間借りて建てることが多いのですが、その土地を地主へ返すときに地中に杭などが残っていると、それを撤去するかどうかでトラブルになるという話を聞いたことがあります。

ある有名な飲食関係のフランチャイズ本部から、エコジオ工法について問い合わせを受けたこともあります。理由を聞くと、レストランを借地に建てたものの、土地を返すときになって「地盤改良工事で地中に作られた固形物の撤去費用を誰が負担するのか」ということで土地の所有者とトラブルが発生しており、その対策を探している、とのことでした。

エコジオ工法の場合は、地中には砕石しか残しません。地中に砕石だけを残すことを事前に伝えておけば、借地を返還するときのトラブルを避けることができるのではないでしょうか。

杭を残さず ㊤

基礎杭の残置と埋め戻し問題

既存ストックを有効活用する時代だが、高度経済成長期に建設した大量の建築物などは、今後も建て替えや再構築、撤去が進められていく。その解体の際、地中にある従前建物の基礎杭の引き抜きが必要になるものの、社会的な関心は低い。各地でその〝既存杭問題〟は発生しているが〝内輪〟で解決する場合が多く、実態は顕在化してこない。水面下、いや、地面下で、じわりじわりと問題が浮かび上がっている。だが、大きな問題にまで発展して、裁判沙汰や、杭を抜けずに跡地活用を断念するケースまで出ている。（坂元浩二）

土地売買に絡む裁判例がある。完全に引き抜かずに残置させた基礎杭と、抜いた孔の埋め戻し部分の地盤支持力の瑕疵について、売主の瑕疵担保責任と媒介した宅建業者の説明義務違反が追及された。

判決で責任は否定されたが、地中に基礎杭が残っていれば、土地媒介の際に重要事項で説明しないと、責任を問われかねない。隠れた瑕疵として責任があれば、撤去費用や、買主の建築工事の進ちょくに影響を与えたとして、損害賠償を負う可能性がある。

再開発を断念へ

事業を断念した案件もある。兵庫県のJR姫路駅南側の市有地では、賃貸住宅と

ノレール駅舎の複合建物を解体した跡地で見つかった基礎杭200本が抜けず、再開発を断念して、駐車場などに利用されている。引き抜き工事

の機械が破損し、振動工法は周辺家屋に影響があるための判断だ。そもそもの従前の基礎杭が曲がっていたり、斜めに打ち込まれていた事実も発覚し、当時の杭施工の内容に問題があった可能性がある。

再利用の選択肢

基礎杭について、「打つ」ことの研究や議論は数多いが、実は、「抜く」ことに関心を持たない風潮がある。ただし

地中に埋まる社会問題

「再利用」は、近年議論が進み、03年に旧建築業協会が、18年に同協会を合併した日本建設業連合会が『既存杭利用の手引き』を発刊している。

その手引き書によると再利用で、新しい建物の施工コストや工期短縮のほか、既存杭の撤去や埋め戻しと新設杭の施工に伴う建設汚泥などの廃棄物を縮減できるメリットを示す。ただ、95年から20年間の論文報告ベースだが実例は215件と少ないようだ。

再利用では、既存杭の耐久性や健全性、支持力を精査する。既存杭の隙間に追加の新設杭を打つと当面はよくても、数十年の長期スパンで見れば、いずれ打つ場所はなくなる。ゆくゆくの撤去は避けられず、後世に負担を残す。

そもそも建物解体後の既存

い〟正当化事由がある例外的なケースに限られ、基本は〝抜く〟ことになりそうだ。

学術視点の協会

これらの状況を踏まえ、18年10月に「日本杭抜き協会」が設立された。既存杭と、その引き抜き工事について、全国初という〝学術的〟な要素を加えて追究する。代表理事は、芝浦工業大学准教授の稲積真哉氏が就任した。地盤環境工学の専門研究を生かし、関連学会と連携しながら、この問題に踏み込んでいく。

新しい同協会には、既にこの問題に警鐘を鳴らしてき

があり、工法の基準づくりやガイドラインづくりなどになる。現在、杭抜き工事は解体工事の一工程だが、その重要性や必要性を提示し、独立した工種への地位向上で認知度も高める。社会への問題意識の啓発が最も大きな課題だ。

土地活用に障害

同協会では、引き抜くことと同様に「埋め戻し」を重要視する。不完全な孔の埋め戻しは、隙間や軟弱部を発生させ、土塊やガラの破片が混入する。実際に杭抜き孔が陥没したケースの相談が、既に同協会に寄せられている。埋め戻しが適正でなければ、跡地や空き地の活用は進まず、日本の貴重な資産を棄損する。

杭を残さず ㊦

基礎杭の残置と埋め戻し問題

建物や土木構造物を解体撤去する際には、これと同時に、従前の基礎杭を「抜く」ことが基本になりそうだ。再利用をする場合でも、永久に使えるわけではない。ただ現状では、基礎杭をそのままに「残置」させ、または、適切に「埋め戻し」を行わないケースが各地で問題になっている。更にこの〝既存杭問題〟は、当事者だけで〝密かに〟解決されてしまい、表面化しない点が、最も大きな問題と言える。これを放置すれば、将来の活用の段階になって、杭が〝びっしりと詰まった鉛筆立て〟のような土地を見ることになりかねない。（坂元浩二）

泣きながら話す地主から、1本の電話が入った。「水があふれ出ているのに、お構いなしに埋め戻している。大丈夫なのでしょうか」――。他の業者が現在進行形で手掛ける現場について、ある杭抜き業者が受けた相談だ。ほかにも、孔が陥没した、隣家の地盤にクラックが入ったなど、杭抜き工事に伴い、土地利用で何らかの障害を発生させるのが〝既存杭問題〟だ。

基礎杭の「残置」は、折れた先端部などをそのまま地中に放置し、または、初めから杭自体を抜かないことでも発生する。そこには、「埋め戻してしまえば、地中だからすぐには発覚しない」という意識が働いている可能性がある。奇麗に抜ける場合は多いものの、技術的にどうしても抜けない場合もある。特別な施工基準やガイドラインもなく、杭を「抜いた」との確証は、現場の判断となり、倫理観が問われる。その判断は果たして、誰がするのか。

従前施工時にも問題

また、現場で抜いてみると、従前の基礎杭が曲がっていた、斜めに入っていた、設計よりも長さが足りない、先端がつぶれている、そもそも、図面上の位置にない事案もある。地震などの外力の影響だけでは説明がつかない。

後世に遺しかねない根深さ

従前建物の新築時の施工上の問題が発覚する事態だ。ここでも、倫理観が問われる。

杭抜き工事では、従前の施工図面などで事前に調査した上で着手する。図面通りの位置に仮に杭がなければ、現場は戸惑う。不正確な情報で行えば、杭を残す事態が発生しかねない。

それでは現場では、どのように杭を抜いているのか。平明に言えば、ほとんどの現場では、玉掛けワイヤーで杭を引き抜く。これが主流の工法だ。しかし、ワイヤーが破断する恐れのほか、折れた杭や上下を接合した杭で継手に不備があると、地中に残置する可能性がある。工法の仕組みの関係から、孔の埋め戻しが不十分になる場合もある。

そこで、日本杭抜き協会に4月に合流する既存杭引抜工法協会では、「杭先端パワーチャッキング（PG）工法」を推奨している。簡略化すると、杭の先端部から全長を抱え込んで引き抜く。充填材の同時注入で工期を短縮し、管理システムによって均一な埋め戻しに期待できる。

全長を抱え込み、引き抜く（PG工法）

持続的な土地利用を

既存杭引抜工法協会会長で日本杭抜き協会の専務理事に就任する専門業者マルシン（東京都目黒区）社長の桑原秀一氏は、「抜くことが目的ではない。元通りの地盤が理想形で、持続的に土地利用できる状態に戻すことが杭抜きの本質にある」と指摘する。

適切に埋め戻すまでが本来の杭抜き工事だが、しかし、埋め戻す充填材の質や量、方法も、公的な決まりや基準はない。業界団体の自主的ルールに任されている。埋め戻しが不適切で、地盤が固すぎ、または軟らか過ぎても、次の新設杭が打てず、傾くなど、跡地活用は進まない。空き地が全国的に増えている傾向に、拍車が掛かりかねない。

問題解決の糸口の一つは、実は、杭抜き業者の地位向上にある。特別な知識や技術が必要ながら、現在は解体工事の一つの工程でしかない。

別分野とも言える解体業者には、杭抜き工事の知識がない場合が多く、杭抜き業者を監督することには無理がある。建設業界の〝重層下請構造〟の中で低い位置に留まる状態で、健全な杭抜き業者は育たない。正しさを指摘する声を上げることもできない。

更に最も大事なのは〝既存杭問題〟を消費者に広く知らせることにある。基礎杭を〝残置〟するならば、しっかりと記録し、その情報を後世まで引き継いでいくことだ。直近で支障がなくても、30年、40年後の建て替え時期を迎えるたびに問題が積み残される。

問題を解消できなければ、後世で負の遺産が発覚し、結局は悔いを残す。国や自治体は、空き地問題の解消策の一環として、これらの実態把握に乗り出すべきだ。埋もれている問題は、非常に根深い。

写真6－2 「住宅新報」（2019年2月12日・19日）

また、東日本大震災の被災地に建設する公共施設の液状化対策としても使われました（写真6－3）。

砕石は、以前から大型施設や土木工事などの液状化対策として使われてきました。液状化の危険がある地盤は砂の地盤で地下水が多いため、そのまま掘ると穴が崩れる場合が多く、崩れると砕石と土が混ざって設計通り液状化対策の効果が発揮できなくなる可能性があります。そのため「砕石を使う場合は、ケーシングを使用すること」が公的な設計・施工マニュアルに定められています。エコジオ工法は、ケーシングを使用するためマニュアルに沿った施工を行うことができます。

ただ、液状化対策として利用する場合は、通常の地盤改良工事の地盤調査に加え液状化

写真6－3　液状化対策工事の様子（千葉県での公共工事）。

対策のための地盤調査が必要であり、設計の方法も異なります。一般的には、砕石を入れる深さも深くなり施工する本数も増えることが多いのが実情です。

また、井戸の近くの住宅の地盤改良工事や、水田と接する擁壁の地盤改良にも使われます。ここで使われる理由としては、地下水などの汚染の心配がないためです。さらに土木分野では、特殊な土木工事の地盤改良や、高速道路の盛土の地下水の排水対策などに使われた事例もあります（写真6－4）。

このように、エコジオ工法の利用は住宅以外にも広がっています。今後は住宅以外の地盤改良市場でも活用できる技術としてさらに技術開発していきたいと考えています。

写真6－4　高速道路の盛土での排水対策工事の様子。

公共土木会社がエコジオ工法施工代理店へ

２０２０年9月末日現在、これまで全国で施工した案件は累計で1万９０００件を超え、取り扱っていただいた住宅会社、設計事務所は３０００社を超えました（図６－２）。たった3社で２０１０年12月に設立したエコジオ工法協会の会員数は、現在46社、事業所数では54か所となり北海道と沖縄を除けばほぼ全国へエコジオ工法を提供できるようになりました。

また、住宅の地盤改良工事には「地盤保証」という制度があります。万が一住宅が傾いた場合、その修復費用を地盤保証会社が補償する制度です。エコジオ工法は、今では国内の主な大手地盤保証会社すべてから地盤保証の対象工法として認められています。

施工代理店の募集当初に加盟したのは、住宅の地盤改良工事を専門に行っている会社が多かったのですが、最近では変わってきています。

異分野、特に尾鍋組と同じ公共土木会社が新事業として始めるケースが増えてきており、最近では約8割が異分野からの参入となっています。

公共土木会社は、道路や堤防、砂防施設などを作る現場の施工や現場管理、品質管理の技術力に優れていますが、民間市場へ提供できるものを作っているわけではありません。そ

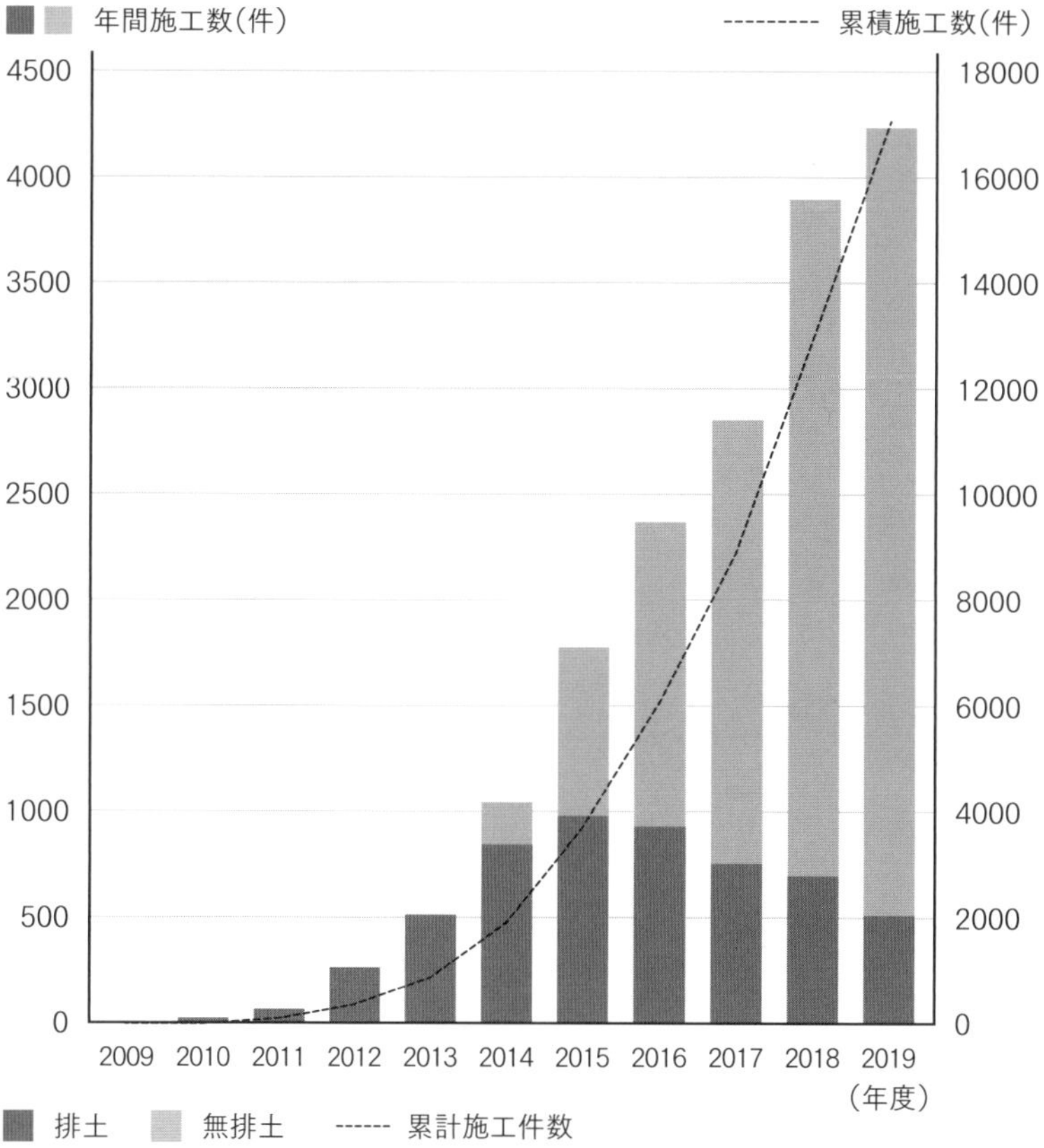

図6－2　エコジオ工法施工実績数（2020年3月末まで）

のため、異分野へ進出するのが非常に難しい業種です。

ただ、住宅の地盤改良工事は、土木に関する技術力や蓄積したノウハウ、手持ちの機材を有効に活用できる数少ない民間市場なのです。

そこで、公共土木分野の企業がエコジオ事業を始める場合、最も課題になるのは「営業」です。17年前、尾鍋組がA工法を始めたときに通った道です。尾鍋組がそうであったように、公共土木会社には民間営業経験やノウハウがほとんどありません。あのときの尾鍋組と同じ苦労はしてほしくありません。

新たな事業を始める場合、当然苦労はありますが、できる限りその苦労を少なくし、短期間で施工代理店が収益を上げることができるように支援したいと考えました。

今では、新たに加盟した施工代理店に対しては、実践的な営業研修を4日間行うとともに、土木など異分野から参入した施工代理店に対しては、より短期間で事業を立ち上げるために、実際の営業活動への同行や住宅会社を対象とした施工見学会の講師の代行などの「事業立ち上げ支援」を1年間行っています。

このように、営業面での支援が充実したこともあり、異分野から参入した企業でも、エコジオ工法の地盤改良機を複数台保有して活発に事業活動している施工代理店もあります。

エコジオ工法協会では、1年に一度、日本全国からエコジオ工法施工代理店の経営者をはじめとするエコジオ事業に携わる方々が集まり、三重県松阪市で総会と報告会を開催しています。総会では1年間の事業計画を発表し、報告会ではエコジオ工法の施工実績の推移や新しい技術開発の状況、各会員の活動報告などを行います。その後、全員で懇親会を行い、会員同士の親睦を深めています（写真6－5）。

また、会員企業の継続的な技術力の向上を目的として、全会員を対象とした技術研修会も開催しています。

写真6－5
エコジオ工法協会の総会（三重県松阪市内のホテルにて）。

施主さまからのメール

2年ほど前、埼玉県の方から以下のようなメールをいただきました。

自宅の建て替えを検討している●●と申します。

地盤改良が必要となった場合、エコジオ工法を希望しています。

しかし、埼玉県●●市で、この工法を採用しているホームビルダーや工務店をWebで探しましたが、2社ほどしか見つかりませんでした。

どちらも残念ながら建物自身の仕様が希望するものではなく、ほかにはないかと探しています。

そこで、貴協会なら、エコジオ工法で建築しているホームビルダーや工務店を数多くご存じなのではないかと思い、メールした次第です。

できるだけ自宅近辺地域にあるホームビルダーや工務店をご紹介いただけると有難いです。よろしくお願いします。

普通は、住宅会社を決めてから、地盤改良工事が必要になったときに地盤改良工法を選ぶのですが、この方の場合は、エコジオ工法を使うと決めてからエコジオ工法を使っている住宅会社を探していました。

このメールをいただいたときは、「まさか、このような方もいるのか」と思うと同時に、「ここまで来たのか」といううれしさもありました。

メールの差出人の方へは、エコジオ工法を採用している近くの住宅会社を紹介させていただきました。

このようなメールでの問い合わせとまではいかないまでも、エコジオ工法協会のホームページへのアクセス、ホームページからのパンフレットのダウンロード、土地の価値の影響についての施主さまからの問い合わせなどが年々増えています。

今後は、エコジオ工法を採用している住宅会社、設計事務所を施主さまが簡単に検索できるような仕組みも整備していきたいと考えています。

あとがきにかえて

もしもＡ工法に取り組んでいなければ、酒井教授、森社長と出会えていなければ、あのＦＡＸ、あのメールＤＭが届いていなければ……。

どうすることもできない状況に追い込まれたとき、何とかしようとあがいていると、誰かに出会い、誰かが助けてくれました。大きな建設機械を使った実験も数多く行ってきましたが、そのときは尾鍋組の土木部のスタッフが協力してくれました。

また妻は、経理として銀行との折衝の矢面に立ち、開発費用が自社の売上を超える苦境の中でもお金のやりくりをしてくれました。そして以前から取引をしていた金融機関は、課題が多かったエコジオ工法の開発に対して、これを市場化するまで融資を続けてくれました。

これまでの出来事のどれか１つでも欠けていたら、エコジオ工法は世に出ていなかったかもしれません。

さらに、エコジオ工法を導入していただいた施工代理店、採用していただいた住宅会社、設計事務所など、エコジオ工法に関わっていただいたすべての方々に感謝しています。

若い頃、運命などと言われると「何を言っているんだ」と鼻で笑ったものですが、今では「そんなこともあるかもしれない」と思うようになりました。

ただ、「もう一度同じことを今からできるか」と聞かれると、とてもできないと思います。私自身の年齢、立場、置かれた状況など「あのタイミングだったからできた」と思います。今、この17年間を振り返ると、砕石の地盤改良事業に取り組んだこと自体が、もしかしたら「運命だったのか」とも思うのです。

エコジオ工法の開発を通して気づいたこともあります。それは「不可能と思われていることはたくさんある。しかし、その多くは不可能が証明されているわけではない」ということです。

もし、従来の常識で考えて開発していたら、エコジオ工法や残土の出ないエコジオZERO工法を開発することはできませんでした。私自身、土木工事の知識はありましたが、地盤改良工事の分野では素人だったことが幸いしたと思っています。

私がエコジオ工法の開発を決意したのは、安定的な収益を上げて会社を存続させるため、といった差し迫った事情が大前提としてありましたが、もう一方では、地球環境への負荷を軽減できることと、個人、法人の大切な資産である土地の価値を守ることができるなど、

「環境と経済を両立できるこれからの社会に必要な技術である」と確信したからです。

今、地球環境問題は、温暖化、異常気象とそれに伴う豪雨災害、大気汚染、水質汚染、プラスチックごみ、廃棄物の処理など、ますます深刻になってきています。

今の子どもたちが大人になるときは、どんな地球になっているのでしょうか。

今日、持続可能な社会の構築を目指し、世界規模でＳＤＧｓ（持続可能な開発目標）への積極的な取り組みが求められています。尾鍋組も２０１９年、ＳＤＧｓ・ＥＳＧへの取り組みを百五銀行から評価していただき、さらに積極的な取り組みを進めています。

今の子どもたちの未来をつくるのは、私たち大人の責任であり行動です。

私自身は、経営者としても一人の人間としてもまだまだ未熟ではありますが、これからも、社会や子どもたちに対して説明できる事業活動を行っていきたいと考えています。

未来のために、持続可能な社会の実現を目指して。

尾鍋哲也

同志・尾鍋哲也氏へ

本書は、今までになかったまったく新しい地盤改良技術であるエコジオ工法を世に送り出すに当たって、著者が経験した数々の苦労や、開発に対する想いを綴ったものです。私もこの開発に携わりいろいろと苦労することはありましたが、それよりも世にない新しいものを一から作り上げていく、人生の中でもなかなかできない経験ができ、大変やりがいのあるものでした。

開発に当たって、著者は本書の中で「ほとんどの人間は、もうこれ以上アイデアを考えるのは不可能だというところまで行きつき、そこでやる気をなくしてしまう。勝負は、これからだというのに。」というエジソンの言葉を引用しています。諦めず考え抜いてやり続けること、それは何事を成し遂げるにも本当に大切なことだと思います。

私はこの開発に携わり、さらにもう一つのエジソンの言葉を付け加えたいと思います。それは「大事なことは、君の頭の中に巣くっている常識という理性をきれいさっぱり捨てることだ。もっともらしい考えの中に新しい問題の解決の糸口はない。」です。

開発の中でこの言葉を実感したことが2つありました。

1つ目は、現在のエコジオ工法の根幹をなす、掘削する円筒の一部を切り取って窓にし、そこにゴム扉を付けて地面を掘削する、この前代未聞の装置を試したときです。まず円筒でない形状ではうまく掘れないだろう、また、仮に掘れたとしても地盤の中では大きな圧力で押され、ゴム扉は到底もたないだろうと思っていました。しかし、実際に試験をやってみると、致命的な問題もなく掘削できてしまいました。掘削後の装置は、ゴム扉の上にきれいに土が円筒になるようにかぶさって保護されており、これを見て感動したのを覚えています。

2つ目は、掘削時に土を出さないエコジオZEROの開発の中で、土を地表に排出するスクリューを取り去って円筒のみで掘削する装置を試したときです。掘った土を地表に出さないで円筒だけで掘削すると、装置に負担がかかりすぎてうまく掘れないだろうと思っていました。しかし、これも何事もなかったかのようにスムーズに円筒が地面に入っていき、狐につままれたような気分でした。

ただこれらの成功は、それまでの多くの失敗を経て生まれてきたものです。エコジオ工法が世に出られたのは、著者が実践してきた『理論でとやかく言うより、考え抜いた上でまずは新しいことをやってみて、もし失敗しても諦めないでさらに考え、試し続けること』が肝だったように思います。私は、新しい装置を試すたび新たな発見があり、開発に対する興味は尽きませんでした。しかし著者は『常識をきっぱり捨て、考え、試し続ける』長年にわたる開発において、会社の経営、多額の開発経費など、いろいろな面で大変な思いをされてこられました。

本書ではこれらのことが著者の想いと合わせ、読みやすくまとめられています。本書の中に、開発の方向性を左右するたくさんの方々と偶然に出会い、これがきっかけとなって開発が進んでいったことが記されています。しかし、これらは決して偶然の出会いではなく、著者が考え行動し続ける中で、必然として出会いが生まれ、著者の人柄と相まってこの輪がどんどん広がっていったのだと思っています。

エコジオ工法は、環境（エコ）を考えた地盤（ジオ）改良ができないかとの著者の想いから命名された地盤改良技術です。本書を通じて著者がエコジオ工法の開発へ傾けた熱い想いを知っていただくとともに、読者の方が何かを新たに始めようとするときの一助となればと思っています。また、あまり気にとめることのない「地盤」や「地盤改良工法」について少しでも理解していただければ幸いに思います。

三重大学大学院生物資源学研究科　教授　酒井俊典

尾鍋哲也（おなべ·てつや）

株式会社尾鍋組代表取締役。

1962年2月、三重県松阪市生まれ。

三重大学卒業後、三重県内の建設会社へ入社。土木工事の現場監督を経て26歳のときに、父親が経営していた公共土木工事を行う尾鍋組へ入社する。

41歳のとき、環境にやさしい地盤改良工法の施工代理店として住宅の地盤改良事業を始めるが、3年後にその開発会社が倒産する。先行きが見えない中、三重大学と共同で独自の地盤改良技術の開発に取り組む。解決が不可能と思える課題が次々ともちあがり、開発費用が自社の年間売上を超えるが、奇跡的な出会いと常識では考えつかない発想でその課題を解決し、独自の地盤改良技術エコジオ工法を完成させる。

現在、エコジオ工法の施工代理店は全国に54か所、全国での累計施工数は、19,000件を超える。

産学連携の取り組みとして経済産業省や三重県、NHKからも取材を受ける。また、エコジオ工法協会の会長として、持続可能な社会の構築を目指し地盤に関する情報発信を行っている。

企画協力　株式会社天才工場　吉田 浩
編集協力　廣田祥吾　田中孝博
装幀・組版　ごぼうデザイン事務所

住宅地盤イノベーション ～地方の土木会社が挑んだ17年の軌跡

2020年12月15日　第1刷発行

著　者　尾鍋哲也
発行者　山中洋二
発　行　合同フォレスト株式会社
〒101-0051 東京都千代田区神田神保町1-44
03(3291)5200 ― 代表
03(3294)3509 ― FAX
振替 00170-4-324578
https://www.godo-forest.co.jp
発　売　合同出版株式会社
〒101-0051 東京都千代田区神田神保町1-44
03(3294)3506 ― 代表
03(3294)3509 ― FAX
印刷・製本　新灯印刷株式会社

ISBN 978-4-7726-6178-2　NDC 513 188 × 130